CASA DIVIDIDA
por Chris Mercer

Copyright © 2017 by Chris Mercer

Casa Dividida
Written by Chris Mercer
Layout design by Juan Carlos Pinilla Melo
Illustrations by Julia Kolyanda

Published by:
TPRS Books
9830 S. 51st Street B114
Phoenix, AZ 85044
Phone: (888) 373-1920
Fax: (888) 729-8777
www.tprsbooks.com
info@tprsbooks.com

ISBN 10: 1-60372-161-4
ISBN 13: 978-160372-161-5

Copyright ©2017 October by Chris Mercer. All rights reserved. No part of this book may be reproduced or transmitted in any form or by any means, electronic or mechanical, including photocopying, recording or by any information storage or retrieval system, without permission in writing from Blaine Ray.

Reservados todos los derechos. Copyright ©2017 por Chris Mercer. Prohibida la reproducción o transmisión total o parcial de este libro sin la autorización por escrito de Blaine Ray. La reproducción de cualquier forma—fotocopia, microfilm, cinta magnética, disco o cualquier otra— constituye una infracción.

ÍNDICE

PREFACIO
Una breve historia de Cuba

Los indígenas taínos vivían en Cuba durante los tiempos precoloniales. Los taínos vivían en pueblos pequeños. Sus casas de madera con techos de paja se llamaban bohíos. Los taínos hacían cerámica, cultivaban yuca y hacían el casabe, un tipo de pan delicioso. Tenían una buena sociedad y cultura.

Cuando Cristóbal Colón llegó a la isla en 1492, el mundo de los taínos cambió violentamente. Aproximadamente 100.000 indígenas vivían allí. Colón declaró que la isla y todos sus habitantes pertenecían al imperio español. Colón y sus tropas forzaron a los indígenas a trabajar para los españoles como esclavos. Los españoles eran brutales y crueles con los indígenas. Muchos indígenas murieron.

Sin embargo, un indígena empezó una fuerte resistencia. Se llamaba Hatuey. Él organizó a muchos guerreros indígenas para luchar contra los españoles. Hatuey y sus hombres sólo tenían hachas de piedra y lanzas de madera. En cambio los españoles tenían armas de fuego, espadas y lanzas de metal. Además, tenían armaduras y caballos.

Hatuey y sus hombres atacaban con inteligencia y precisión. Atacaban por sorpresa y se retiraban rápidamente. Así ganaban muchas victorias. Pero los españoles capturaron a Hatuey. Lo condenaron a muerte en la hoguera*. Cuando los españoles iban a matar a Hatuey, un español le preguntó si quería aceptar la religión católica para poder ir al cielo.

Hatuey respondió famosamente:

—¿Van los españoles al cielo?

Y el español respondió:

—Sí, vamos al cielo si somos buenos cristianos.

Hatuey le gritó:

—¡Entonces prefiero ir al infierno!

Después, muchas enfermedades, el trabajo forzado y masacres causaron la muerte de muchos indígenas. En menos de un siglo, casi todos los taínos murieron. Colón y los españoles cometieron un genocidio casi total.

Por cuatrocientos años Cuba fue una colonia española. Cuando los españoles exterminaron a los indígenas, empezaron a atacar la costa oeste de África para capturar a muchas personas. Más de un millón de hombres, mujeres y niños africanos fueron llevados a Cuba como esclavos. Los españoles abusaron mucho de los africanos. Las condiciones en que vivían y trabajaban los hombres, mujeres y niños africanos

---

*hoguera *bonfire*

eran terribles. Por eso, los africanos siempre resistían y se rebelaban. Muchos africanos escaparon y formaron pueblos libres en las montañas que se llamaban "palenques."

Por fin, en el año 1886, la esclavitud en Cuba fue abolida por la corona española. Con el fin de la esclavitud muchos cubanos también querían la independencia de España. Varios grupos lucharon contra España entre los años 1868 y 1898. En 1898 Estados Unidos entró en el conflicto cuando el USS Maine explotó en la bahía de la Habana.

Estados Unidos declaró la guerra a España y ayudó a las fuerzas cubanas a expulsar a los españoles de la isla. Cuba ganó su independencia de España en julio de 1898. Desafortunadamente para los cubanos, Estados Unidos empezó una larga ocupación.

Durante la ocupación, Cuba era más como una colonia de los Estados Unidos que un país independiente. El gobierno de Cuba tenía que promover los intereses económicos de Estados Unidos. La economía de Cuba prosperó para las clases altas y las compañías extranjeras. Pero los pobres de Cuba no tenían mucho acceso a la salud ni a la educación.

El último jefe principal de este sistema opresivo era el general Fulgencio Batista. Él controlaba el país por medio de la violencia y la represión política. Sin embargo, en los años cincuenta muchos cubanos estaban preparando una revolución.

Capítulo 1
Luisa y José
Cuba 1957

Luisa tenía diez años. Ella estaba cansada y triste. No quería pasar otro día más en el campo cortando caña de azúcar. Todos los días eran iguales para los campesinos*. Luisa se levantaba a las cinco de la mañana. En su casa pequeña toda su familia dormía en el mismo cuarto. Las hamacas estaban suspendidas encima de tierra compacta. Ella comía un poco y salía para cortar caña de azúcar con su familia. Un día fue sólo con su padre Manuel y su hermano Carlos.

Su hermana menor, la bebé Lolita, lloraba porque tenía un dolor de estómago. Normalmente Luisa escuchaba el ¡quiquiriquí! del gallo que siempre despertaba a las familias en el pueblo. Luisa caminaba sin zapatos a los campos de caña de azúcar. En los campos de caña de azúcar ella pasaba todos los días. Sus pequeñas manos negras eran duras y fuertes después de mucho trabajo.

***Campesinos** *small scale subsistence farmers*

Luisa le preguntó a su padre:

—Papá, ¿hasta cuándo tenemos que cortar la caña?

Era el tiempo de la zafra. La zafra es el momento en que los campesinos tienen que cortar toda la caña de azúcar. La zafra es el momento más duro del año. Todos los campesinos tenían que trabajar todo el día. Hacía mucho calor. Las condiciones eran malas. Los campesinos trabajaban con machetes. Después tenían que llevar la caña a los molinos para convertirla en azúcar.

Su padre respondió:

—Tú sabes, mi hija. La zafra continúa hasta que no haya ni una caña más en el campo. El jefe es antipático, vamos más rápido.

Su hermano Carlos dijo:

—Sí, vamos más rápido. No quiero problemas con Don Pablo. Él es muy difícil. Me gritó cuando me caí en el campo. No me ayudó. Me gritó furiosamente y dijo que yo era muy perezoso*.

Manuel, el padre de Luisa, le dijo:

—También, tenemos que cortar la porción de tu madre.

Ciruela, la madre de Luisa no había venido porque tenía que cuidar a la bebé. Generalmente su madre llevaba a Lolita en la espalda cuando trabajaba. Pero como Lolita estaba enferma, ella no podía salir.

---

*perezoso *lazy*

Al llegar al campo de caña vieron al patrón, Don Pablo. Estaba montado a caballo. Don Pablo les gritó:

—¡Apúrense! ¡Ya empezamos! ¡Ustedes son perezosos!

La vida era difícil para Luisa y su familia. La vida era difícil para todos los campesinos en la Cuba del dictador Fulgencio Batista.

*****

José tenía diecisiete años. Él vivía en la Habana, Cuba. Dormía tranquilamente en su habitación privada. Las empleadas domésticas no lo habían despertado. El sol del caribe iluminaba su dormitorio y una brisa suave entraba por la ventana. Sus cuatro hermanos y sus padres ya se habían levantado. Las empleadas domésticas estaban limpiando y preparando la comida. Su casa era una mansión de arquitectura moderna. A su madre Adela le encantaba su casa.

Adela amaba mucho a sus cinco hijos. En la pared ella había dibujado líneas marcando la altura de cada uno de ellos.

El padre de José, Martín Santos, comía pan con mantequilla y bebía café con leche con Adela. Martín era un hombre muy exitoso. Era uno de los hombres más ricos e influyentes de Cuba. Tenía una fábrica* de tabaco. Martín siempre tenía una actitud muy po-

---

*fábrica *factory*

sitiva. Le gustaba trabajar y además le gustaba pasar cada momento con su familia.

A las siete de la mañana, José se levantaba e iba al baño. Se lavaba sus blancas manos con agua caliente. Se ponía el uniforme y salía en su motocicleta nueva para un colegio privado. En el colegio comía un desayuno de café con leche y pan con mantequilla. Después, iba a la misa católica y luego a clases.

José asistía al colegio más prestigioso de Cuba, el Colegio de Belén, un colegio jesuita. Todos los días iba al colegio, volvía a su casa y pasaba tiempo con sus amigos y su familia. A él le gustaba manejar la motocicleta y los carros de su familia. Le gustaba manejar muy rápidamente.

Su padre estaba enseñándole cómo dirigir la compañía. Y a veces, iba con él a la casa del famoso autor Ernest Hemingway para mirar películas en su sala.

La vida de José era muy cómoda. Él no tenía muchas responsabilidades en la casa. Las empleadas domésticas le arreglaban la cama, le lavaban la ropa y le hacían la comida. A José le gustaba su vida privilegiada. La vida era buena para José y su familia. La vida era buena para todos los hijos de los tabacaleros de la Habana en la Cuba del dictador Fulgencio Batista.

Capítulo 2
Al hospital

Nadie dormía en la pequeña casa de Luisa. Lolita lloró toda la noche y toda la familia estaba preocupada. La madre de Luisa, Ciruela, le dijo a Manuel:

—Lolita está muy enferma. Ella ha llorado todo el día y toda la noche y no ha comido nada. Tenemos que llevarla al médico.

Su padre respondió:

—Lo sé. Está muy enferma pero no hay ningún médico aquí. Tendríamos que llevarla a la ciudad y estamos en la época de la zafra. El jefe no permitiría que fuéramos.

Lolita era muy flaca. Sólo tenía tres años y parecía que no iba a cumplir cuatro*. La luna triste iluminaba la pequeña casa. Luisa pasó toda la noche con su hermana menor. Quería ayudarla pero no sabía qué hacer. Sólo podía rezar a la Virgen María y decir las oraciones de Babalú-Aye, un dios africano de la salud y las enfermedades. La noche duró una eternidad.

***no iba a cumplir cuatro** *wasn't going to turn four*

Cuando escucharon el ¡quiquiriquí! del gallo, Manuel, el padre de Luisa, dijo:

—Vamos a llevarla al médico. Lolita puede morir sin atención médica.

Toda la familia fue con Lolita menos Carlos. Carlos quería ir pero él tenia que explicar la situación a Don Pablo. Luisa y sus padres llevaban a Lolita en brazos. Hacía mucho calor y el camino era muy largo. Ellos caminaron todo el día y cuando llegaron a la ciudad, vieron a un joven. El padre le preguntó:

—Hola, amigo, ¿dónde está el hospital? Mi hija está muy enferma.

El joven le respondió:

—No sé exactamente. Vengan conmigo y vamos a buscarlo.

El joven se llamaba Rolando. Tenía quince años. Tenía un carácter serio pero simpático. Él quería ayudar a Lolita. En la noche, Rolando y la familia llegaron al hospital. Lolita estaba muy enferma. La familia entró en el hospital y un guardia les preguntó:

—¿Qué hacen ustedes aquí?

Ciruela respondió:

—Mi hija está muy enferma. ¡Necesitamos ver al médico!

El guardia respondió:

—Esperen aquí.

Rolando y la familia estaban muy cansados. Habían caminado todo el día al sol caliente. Tenían hambre y sed. La bebé Lolita casi no se movía. Todos tenían miedo de que se muriera. El guardia volvió con una enfermera y la enfermera les dijo:

—Lo siento. Ya es tarde y no podemos ver a la niña. Los médicos no están aquí y el hospital no está aceptando a pacientes nuevos.

Al escuchar esto, Manuel se enojó y Ciruela se echó a llorar. Rolando le gritó:

—¡¿Cómo es eso?!* ¡¿No ven que la niña puede morir!? ¡Ustedes tienen que ayudarla! ¡Esta familia llegó desde el campo y no tiene donde dormir!

El guardia les dijo firmemente:

—Ya oyeron a la enfermera. Salgan del hospital. Lo siento pero no pueden estar aquí.

El padre dijo:

—¡Ayuden a mi hija! ¡Sólo tiene tres años! ¡Ayúdenla por favor!

Ciruela, la madre de Lolita, agarró las manos de la enfermera y le gritó desesperadamente:

—¡Tienes que ayudarla! ¡Por favor, ayúdala!

La enfermera le gritó:

—¡No me toques, campesina sucia!

El guardia empujó a Ciruela y ella se cayó al suelo. Rolando le pegó al guardia en la cara y Manuel le gritó:

—¡No empujes a mi esposa!

De repente, más guardias llegaron y empezaron a

---

* **¿Cómo es eso?!** *How is this?*

pegarle a Rolando. También empujaron a la familia a la calle. Después, la policía llegó y arrestó a Rolando. La familia pasó la noche en la calle. En la mañana, el sol amaneció* como siempre, pero Lolita no. La bebé se murió.

*****

Ese mismo día, en el Colegio de Belén en la Habana, José tenía que hacer una presentación para su clase. Él decidió hablar de su padre. José estaba muy orgulloso de su padre y quería compartir su historia con todos sus compañeros. Su padre era uno de los hombres más exitosos de Cuba. Era el presidente de la Asociación de Exportadores de Cuba y uno de los hombres más ricos del país. Sin embargo, no siempre había sido rico. José se levantó de su pupitre, fue a la pizarra y empezó a hablar:

—Mi padre se llama Martín Santos. Empezó su vida en una casa humilde. Trabajó mucho para construir su compañía. Empezó su compañía comprando tabaco de los agricultores y vendiéndolo a las fábricas de puros*.

Además, mi padre es muy generoso. Él siempre ayuda a las personas con problemas. Mi padre es un hombre excelente y quiero ser como él.

---

*el sol amaneció *the sun rose*
*fábrica de puros *cigar factories*

Cuando terminó de hablar, la clase aplaudió y José volvió a su pupitre. Después de las clases, se subió a la motocicleta y salió rápidamente por las calles de la Habana. Manejaba la motocicleta como un loco. Iba muy rápido por las calles. Cuando pasó en frente de la policía, un joven policía le dijo a su compañero:

—¡Mira lo rápido que va! ¡Vamos a darle una multa por exceso de velocidad!

El otro oficial lo miró y respondió:

—A él no le damos multa. Parece que tiene un padre rico. No queremos problemas —y siguió bebiendo su café.

José llegó a su casa grande a las seis de la tarde. Le dijo a la empleada doméstica:

—Rosita, prepárame un sándwich por favor.

—Muy bien. Ya se lo traigo.

Rosita le preparó su sándwich favorito con jamón y queso. Le dijo:

—¿Quiere beber leche, café o cola?

José respondió:

—Cola, por favor. Muchas gracias, Rosita.

Entonces llegó su mejor amigo, Pedro. Los dos jóvenes jugaron con los trenes eléctricos de José. Ellos hablaron de la chica que a Pedro le gustaba. Se llamaba Silvia. Pedro siempre hablaba de ella pero no tenía el valor de hablar con ella. José se rió y le dijo:

—¡Ayayay, Pedro! Siempre hablas de ella pero nunca hablas con ella. Tienes que ser más valiente si quieres salir con ella.

Pedro le respondió:

—Pero tú no puedes decir nada. ¡Tú no tienes novia!

Los amigos se rieron. A las ocho, Pedro salió para su casa.

A las ocho la familia de José siempre cenaba en el comedor. Las empleadas domésticas siempre ponían la mesa con platos lujosos y velas rojas. La cena era muy importante para la familia de José. A José le encantaba escuchar las historias de su padre. Su familia siempre contaba chistes y era feliz. Después de cenar José siempre veía *"Yo amo a Lucy"* en la televisión y después iba a dormir.

Capítulo 3
El principio de una revolución

La familia de Luisa llegó a casa con el cuerpo de Lolita. Rolando todavía estaba en la cárcel. Cuando llegaron a la casa, todos estaban muy cansados y tristes. Ciruela, exhausta, se acostó en una hamaca. Luisa preparó arroz para la familia. La muerte de su hermana le causó muchas emociones fuertes como enojo y tristeza.

Sentía un dolor en el corazón. Estaba muy triste porque no podía ayudar a su hermana. En ese momento sabía que tenía que hacer algo con su vida. Sin embargo, no sabía exactamente qué.

Cuando Carlos volvió a casa, la noticia de la muerte de su hermanita lo golpeó muchísimo. Se veía muy mal. Estaba agotado. Sus manos sangraban y su camisa estaba destrozada. Se sentó en el suelo y todos lo miraron con preocupación.

—¿Qué te pasó, hermano? —le dijo Luisa.

Carlos respondió:

—Don Pablo me hizo trabajar por tres días sin descansar. Me dijo que, como ustedes no llegaron a trabajar, yo tenía que trabajar el triple o no nos iba a pagar nada.

Luisa le dijo:

—No hables más, hermano. Bebe esta agua. Come este arroz. Duerme, hermano, duerme.

Dos semanas más tarde, alguien tocó a la puerta. Era Rolando, a quien ellos le habían dado su dirección. Estaba agotado y tenía mucha hambre. Había pasado diez días en la cárcel. Las condiciones eran terribles. No había comido mucho y estaba muy cansado. Luisa le dijo:

—Rolando, ¿cómo estás? ¿Cómo saliste?

Él respondió:

—Estoy bien pero muy cansado. Me dejaron salir* después de diez días porque dijeron que mi crimen no era muy serio. No tan serio como los crímenes de los otros prisioneros que estaban allí.

—¿Los otros prisioneros? ¿Qué hicieron ellos? —respondió Luisa.

—Dijeron que ellos eran rebeldes, enemigos del estado —le dijo Rolando.

—¿Qué es un rebelde*? —le preguntó Carlos.

—Pues, un hombre me dijo que los rebeldes quieren terminar con la dictadura de Batista. Quieren crear una Cuba nueva, una democracia.

---

*me dejaron salir *they let me leave*
*rebelde *rebel*

—¿Qué es una democracia? —le preguntó Luisa con curiosidad.

—Es un gobierno nuevo. Un gobierno en que los pobres campesinos tendrían el mismo poder que el hombre rico. Un sistema en que todos serían iguales. Me dijeron que nuestro padre de la patria, José Martí, dijo, "Es preferible el bien de muchos a la opulencia de pocos." O sea, un sistema en que los pobres tendrían acceso a la educación y… la salud.

Luisa y Carlos estaban muy interesados y un poco confundidos. Querían saber más de los rebeldes. Querían ayudarles si fuera posible.

Rolando habló con la familia hasta la medianoche. Él les explicó que había un movimiento revolucionario que era fuerte y popular. También Rolando les dijo que otros campesinos se habían unido al grupo de guerrilleros que quería derrotar* a Batista y empezar una Cuba nueva. Una Cuba en que un hospital no rechazaría* a una niña como Lolita. Una Cuba en que todos tendrían las mismas oportunidades: tanto negros como blancos, tanto pobres como ricos.

La familia de Luisa quería hacer algo. Después de la muerte de Lolita y el abuso cometido por Don Pablo sobre Carlos, la familia no tenía nada más que perder. Carlos, Manuel y Rolando decidieron buscar

---

*quería derrotar *wanted to defeat*
*rechazaría *would turn away*

a los rebeldes en las montañas de la Sierra Maestra. Luisa le dijo a Rolando:

—Quiero ir también. Quiero luchar contra Batista.

Rolando le respondió:

—Tú no puedes ir. Eres una chica muy joven. Pero ten paciencia, tendrás oportunidad de ayudar.

—¡Pero yo quiero ir ahora! —le contestó Luisa urgentemente.

Su padre Manuel respondió:

—Lo siento, Luisa, yo sé que tú quieres hacer algo. Pero Rolando tiene razón. Eres muy joven.

Unos días más tarde, Rolando, Manuel y Carlos salieron para buscar a los rebeldes en la Sierra Maestra. Luisa y su madre se quedaron solas.

*****

En la cocina de la casa grande de José, su padre, Martín, y su tío, Antony, estaban bebiendo un ron y hablando de la situación política de Cuba. Eran las once de la noche y José acababa de llegar* a casa de un club de baile. José no entró en la cocina porque escuchó a su padre y a su tío hablando en tono serio. Se quedó en el pasillo escuchándolos. Su tío Antony le dijo:

---

*acababa de llegar *had just arrived*

—Hermano, la situación es muy seria. Ya sabes que El Movimiento 26 de Julio, encabezado por Fidel y Raúl Castro en la Sierra Maestra, es muy fuerte. Los campesinos están uniéndose a ellos.

—Sí. No me sorprende. Fidel siempre ha sido muy carismático y ambicioso. Pero el Movimiento 26 de Julio está en las montañas en el este del país. Tú estás aquí. ¿Qué quieres hacer con ellos?

José recordó las historias de Fidel Castro en su escuela. Fidel se había graduado del mismo colegio varios años antes. Muchos profesores dijeron que Fidel era un deportista excelente y tenía un carisma personal muy fuerte.

Su tío Antony le dijo:

—Batista es terrible para Cuba. Batista es un dictador cruel y Cuba necesita un cambio radical. Como dijo José Martí, "La libertad cuesta muy cara, y es necesario, o resignarse a vivir sin ella, o decidirse a comprarla por su precio."

Martín respondió:

—Entonces hermano, ¿qué quieres hacer? Juntarse con los rebeldes es muy peligroso. Además hay muchas oportunidades de ayudarlos desde aquí. No te olvides del grupo de activistas antibatista en la Universidad de la Habana o los varios políticos que quieren pasar una legislación que terminará con Batista. Yo sé que el país necesita un cambio pero estoy preocupado por tu seguridad.

—Soy veterano de las Fuerzas Navales de Estados Unidos de la Segunda Guerra Mundial. No tengo miedo a la muerte. Voy a ir con los rebeldes del Segundo Frente del Escambray. Es un grupo de rebeldes en el centro del país. ¿Cuento con tu apoyo? Hermano, te necesito… Cuba te necesita.

El padre de José se quedó en silencio por un momento. El olor de la comida deliciosa todavía llenaba la cocina. El padre de José miró a su hermano a los ojos y le dijo sinceramente:

—Sí, eres sangre mía. Siempre tendrás mi apoyo. Cuídate mucho, hermano.

José escuchó estas palabras y se dio cuenta de que algo muy importante acababa de pasar*. Tenía miedo y estaba nervioso. En silencio, José dio la vuelta y fue a su cuarto para dormir.

---

*acababa de pasar *had just happened*

Capítulo 4
A la guerra

Manuel, Carlos y Rolando caminaron por cinco días sin ver a los rebeldes. No sabían exactamente dónde estaban. No sabían qué iban a encontrar. Pero todos tenían una convicción fuerte: querían terminar con un sistema injusto. Al mismo tiempo, muy lejos de allí, el tío de José, Antony, iba al Segundo Frente del Escambray que también quería poner fin al régimen de Batista. Antony no sabía exactamente qué iba a encontrar pero tenía esa misma convicción: terminar con la dictadura de Batista. El tío de José y la familia de Luisa venían de mundos sociales totalmente diferentes pero en ese momento, trabajaban por la misma causa, una Cuba libre de Batista.

Después de cinco días caminando en la Sierra Maestra, Carlos, Rolando y Manuel encontraron a un soldado del Movimiento 26 de Julio. El soldado era muy joven. Llevaba un rifle viejo y cuando vio a los tres hombres, les gritó:

—¡No se muevan! ¿Quiénes son ustedes y qué quieren?

Carlos respondió:

—Somos campesinos. Queremos ser parte del movimiento. Queremos ser rebeldes. Mi hermana de tres años murió porque no la atendieron en el hospital. Arrestaron a mi amigo por defendernos y mi jefe me trató muy mal por no trabajar suficientemente rápido. Queremos una Cuba nueva. Por eso estamos aquí.

—Bueno —les dijo el soldado—. Vengan conmigo. Vamos al comandante.

Los cuatro hombres llegaron a un campamento. Hombres con barbas y rifles estaban por todas partes. Se veían sucios por no bañarse en muchos días. Algunos estaban haciendo café y otros dormían en hamacas. Otros estaban estudiando. Estaban leyendo y hablando de un libro.

—¿Qué están haciendo ellos? —le preguntó Rolando.

El soldado contestó:

—Esta es la clase de lectura. Nuestros comandantes mandan que todos aprendamos a leer y escribir.

Rolando y Carlos estaban muy interesados en eso. Ellos no habían terminado la escuela primaria. Estaban emocionados por aprender pero el padre de Luisa dijo:

—Yo ya soy muy viejo para leer. No sé nada de eso.

El soldado respondió:

—No te preocupes. El profesor es muy bueno. Es el comandante Che Guevara de la Argentina.

Los tres nuevos revolucionarios fueron aceptados en el ejército con mucho entusiasmo. Los comandantes les dieron uniformes y rifles. Los tres hombres aprendieron a marchar, disparar y atacar al enemigo. Ya no eran campesinos pobres sino que ahora eran revolucionarios, miembros del famoso Movimiento 26 de Julio.

Mientras tanto, en el centro del país, Antony Santos, estaba con el Segundo Frente del Escambray. Recibió ascensos militares por su carisma personal y su experiencia militar. Muy pronto se hizo comandante. Aunque los dos grupos revolucionarios estaban luchando en diferentes partes del país, muy pronto, el Segundo Frente del Escambray se uniría con el Movimiento 26 de Julio bajo circunstancias peligrosas e increíbles.

Capítulo 5
Al combate

Luisa, en su pequeña casa, y José, en su casa grande en la Habana, no habían oído mucho de sus parientes rebeldes. Luisa y su madre, Ciruela, estaban tratando de sobrevivir. Ellas trabajaban con sus vecinos para cultivar yuca y frijoles. Comían muy poco y todavía estaban tristes por la muerte de la pequeña Lolita. Sus días eran muy difíciles sin Carlos y Manuel. Sin embargo, ellas tenían la esperanza de una vida mejor.

José trataba de vivir su vida normalmente. Asistía al colegio y aprendía de su padre sobre la compañía. Sin embargo, en Cuba nada era normal. Todo estaba muy tenso y aún los ricos tabacaleros tenían que manejar sus compañías según las condiciones de la guerra. El padre de José compraba el tabaco más popular de Cuba y sus camiones lo llevaban de los terrenos controlados por el Movimiento 26 de Julio hasta los terrenos controlados por los soldados de Batista. La compañía del padre de José tenía que pagar "impuestos"* a las tropas de los dos lados del conflicto para recibir el permiso para pasar.

Mientras José manejaba los camiones con el tabaco de su compañía, su tío, Antony, dirigía a los rebeldes del Segundo Frente del Escambray. Ellos atacaban a las tropas de Batista y ganaban muchas victorias. Pronto el comandante Antony y otros líderes se dieron cuenta de que para ganar la guerra contra Batista, el Segundo Frente del Escambray tendría que unirse al Movimiento 26 de Julio. Sin embargo, había un problema muy grande. La provincia de Camagüey separaba el Segundo Frente del Escambray y el Movimiento 26 de Julio.

Camagüey tenía muchos hombres ricos que estaban muy contentos con la dictadura de Batista. Ellos tenían mucha tierra y vivían como reyes. No querían que el Movimiento 26 de Julio pasara por Camagüey y estaban luchando ferozmente contra ellos.

La columna de Che Guevara tenía muchos problemas. Carlos, Manuel y Rolando estaban luchando en esta columna y la lucha era muy dura. Pasaron días sin comer. Los revolucionarios no recibían la misma ayuda de los campesinos en Camagüey que la que habían recibido en la Sierra Maestra. Después de luchar mucho, ellos casi no tenían municiones ni materiales. Necesitaban ayuda.

---

*impuestos *taxes*

El comandante Antony habló con el comandante Che Guevara por teléfono. El comandante Che Guevara necesitaba ayuda muy pronto. El comandante Antony les dijo que podía ayudar y salió para encontrarse con Che. Fue muy peligroso pasar por Camagüey. Antony perdió varios hombres de su columna. Al fin, la columna de Antony se unió con la columna del comandante Che. Esta unión dio nueva vida y esperanza al movimiento.

Un día la columna llegó a una quebrada* muy profunda y el comandante Che les ordenó a Rolando y a Carlos que buscaran una manera de cruzarla. De noche, ellos salieron con sus rifles para investigar la situación. Carlos dijo:

—Rolando, vamos a cruzar la quebrada silenciosamente y buscar las posiciones del enemigo.

Rolando respondió:

—Sí. Tenemos que asegurar que el resto de la columna pueda cruzar con seguridad.

Los dos salieron del campamento y cruzaron la quebrada con mucho cuidado. No sabían lo que iban a encontrar al otro lado. Carlos y Rolando tenían mucho miedo pero también tenían mucho valor. Avanzaron poco a poco. No oían nada más que el sonido de los insectos.

De repente Carlos vio algo en la distancia. No sa-

---

*una quebrada *a ravine*

bía exactamente lo que era pero se veía como un montón de tierra. Podría ser un grupo de soldados. Carlos fue para investigar. Rolando se posicionó para cubrirlo. Carlos se dio cuenta de que sí eran dos soldados de Batista. Carlos no quería disparar su rifle y llamar la atención de otros soldados, entonces se acercó un poco más y dijo en voz autoritaria:

—¡No se muevan! ¡Están rodeados! Si gritan, los mato.

Los soldados no se movieron. Carlos les dijo:

—¡Bajen los rifles, ya! ¡Salgan con las manos arriba!

Los dos soldados bajaron sus rifles y salieron con las manos arriba. Carlos les dijo:

—Ustedes son prisioneros del Movimiento 26 de Julio. Si tratan de escapar, los voy a matar.

Rolando se levantó y apuntó su rifle a los prisioneros también y todos regresaron al campamento.

Cuando llegaron al campamento los comandantes Che y Antony interrogaron a los prisioneros. Les preguntaron sobre la posición de los soldados de Batista. Consiguieron mucha información y ordenaron un ataque. Los comandantes Che y Antony felicitaron a Carlos y Rolando y ascendieron a Carlos al rango de teniente. Manuel estaba muy orgulloso de su hijo y Carlos estaba muy emocionado.

En la mañana, los rebeldes corrieron rápidamente por la densa vegetación y Carlos gritaba instrucciones porque él sabía la mejor ruta. Los soldados de Batista

gritaban confundidos y llenos de pánico mientras los rebeldes atacaban con fuerza.

En el caos de la batalla, una bomba cayó cerca de Carlos, el comandante Antony reaccionó instantáneamente y empujó a Carlos detrás de un árbol. El árbol los protegió de la explosión. Carlos miró a Antony y le dijo:

—Gracias.

Los dos se levantaron rápidamente y siguieron luchando.

Poco después, la batalla terminó. Fue una victoria para los rebeldes. Todos los soldados de Batista estaban muertos o capturados.

Carlos buscó al comandante Antony y le dijo:

—Gracias. Me salvaste la vida. Te debo la vida.

Antony respondió:

—No hay de qué . Tú habrías hecho lo mismo por mí.

Los dos se abrazaron fuertemente.

En los siguientes días, los rebeldes continuaron a la ciudad de Santa Clara, donde la guerra terminó. La columna de Che Guevara empezó una batalla grande y los rebeldes ganaron la victoria definitiva. El ejército de Batista estaba totalmente destrozado y Batista salió de Cuba el 1 de enero de 1959. Todas las fuerzas revolucionarias triunfaron y Cuba nunca sería igual.

CAPÍTULO 6
¿Cuba libre?

El primero de enero de 1959 toda Cuba bailó en las calles. Los rebeldes entraron en la Habana con los rifles en el aire. Toda Cuba estaba celebrando el triunfo. José y su familia celebraron el triunfante regreso del tío Antony. Toda la familia llegó a la casa grande de José y celebró con mucha comida, vino y música. La familia estaba bailando. Una banda tocaba una canción feliz y en ese momento, este ritmo unió a todos los cubanos.

José le preguntó a su tío:

—Tío Antony, ahora que Batista se ha ido, ¿qué va a pasar en Cuba? ¿Quién va a gobernar?

Antony respondió:

—No sabemos exactamente qué va a pasar pero ganamos la guerra y todo va a ser mejor en Cuba. ¡Vamos a tener una democracia! ¡Cuba está libre del tirano!

Antony agarró a José y le dio un abrazo muy fuerte. José y Antony regresaron a la fiesta y bailaron toda la noche.

En el pueblo de Luisa, ella y su madre lloraron de alegría. Desde que se fueron Manuel, Carlos y Rolando, cada día había sido una lucha para sobrevivir. Casi no tenían comida ni agua limpia. Las cosas eran aun más difíciles que antes. Sin embargo, ahora, con el triunfo de la revolución, Luisa y su madre tenían mucha esperanza. Ellas celebraron la victoria con sus vecinos.

Luisa le dijo a su madre:

—Mamá, ¿qué va a pasar ahora?

Su madre contestó:

—No sé, mi amor. Pero tengo la esperanza de que todo vaya a ser mejor.

Se abrazaron. Sintieron felicidad y tristeza. Felicidad porque Manuel y Carlos iban a volver y tristeza porque Lolita no estaba allí para celebrar la victoria. No sabían exactamente qué iba a pasar pero estaban seguras de que las cosas mejorarían.

Después de la euforia inicial del triunfo, el trabajo difícil de gobernar el país empezó. Todo estaba cambiando rápidamente. De pronto, Fidel Castro y sus compañeros empezaron a consolidar el poder bajo el Movimiento 26 de Julio. Todo el país estaba muy feliz de que Batista se hubiera ido pero de repente había divisiones entre los varios líderes de los grupos revolucionarios.

Fidel Castro dio muchos discursos que duraban hasta ocho horas. Muchos cubanos lo vieron como un santo que vino para salvar el país. Después de un año en el poder, el gobierno de Fidel Castro había hecho muchos cambios radicales en el país.

Fidel Castro implementó un plan para eliminar el analfabetismo* en Cuba. El gobierno organizó a miles de jóvenes de las ciudades para ir al campo a enseñar a los campesinos a leer y escribir. Fue una movilización masiva de chicos y chicas jóvenes que iban a todas partes de la isla para ser maestros. Lucharon contra la ignorancia con libros y lápices. Durante esta campaña una chica llegó al pueblo de Luisa. Se llamaba Paula. Tenía dieciséis años y llevaba mochila y uniforme militar. No tenía armas de fuego sino armas para combatir el analfabetismo. Tenía una pequeña pizarra, tiza, cuadernos, lápices y unos libros de la historia de Cuba. Paula caminaba con confianza y estaba muy orgullosa de ser parte de la revolución.

Ahora Luisa era alta y flaca. Su vida había sido muy difícil pero tenía una sonrisa amigable.

Cuando Paula llegó a la casa de Luisa, ella la recibió sonriente:

—Hola, ¿cómo te llamas?

Paula le dijo con una sonrisa amigable:

—Me llamo Paula. ¿Y tú, cómo te llamas?

—Me llamo Luisa. Bienvenida a mi pueblo.

—Gracias —le respondió Paula—. Estoy aquí para enseñarles a leer y escribir. ¿Sabes leer, Luisa?

---

*analfabetismo *illiteracy*

Luisa miró el suelo y le respondió:

—Sí, sé leer pero no tengo libros. Mi hermano Carlos me enseñó antes de irse a luchar con el comandante Che Guevara y el Movimiento 26 de Julio.

La madre de Luisa, Ciruela, le ofreció una hamaca a Paula y durante los siguientes meses las tres mujeres vivieron juntas. Paula daba clases en frente de la casa de Luisa. Todos en el pueblo querían aprender. Los niños y los viejos, los hombres y las mujeres aprendieron a escribir las letras una por una. Practicaban leyendo los poemas de José Martí.

Luisa era la mejor estudiante. Iba a todas las clases y llegó a ser la asistente de Paula. Todas las noches Luisa leía los libros de Paula. Luisa aprendía de memoria los poemas de José Martí. Estudiaba la historia de Cuba y aprendió sobre los héroes de la guerra de la independencia de España. Le encantó la historia de Antonio Maceo, el primer general negro en Cuba que murió heroicamente luchando contra los españoles.

También Paula les enseñó los fundamentos de la matemática. A Luisa le encantaba aprender. Aprendía con una ferocidad y alegría que impresionó mucho a Paula.

Una noche Paula le dijo a Ciruela:

—Doña* Ciruela, Luisa aprende muy rápido. Ella es una niña muy inteligente. Ha aprendido todo lo

---

*__Doña__ *a term of respect like "Ms." but used before the first name.*

que le puedo enseñar. Creo que ella debe ir a una escuela oficial en la ciudad.

Ciruela respondió:

—Sería excelente pero no tenemos dinero para pagar la escuela. Somos pobres campesinos y nadie en mi familia ha ido a una escuela en la ciudad.

Paula le explicó:

—No se preocupe usted por el dinero. La educación es una prioridad al nuevo gobierno. El comandante Fidel dice que todos los cubanos debemos estudiar. Ahora todos tenemos el derecho de ir a la escuela. Voy a hablar con mi supervisora para ver qué podemos hacer con Luisa. Es una chica creativa, brillante y muy inteligente.

Ciruela contestó con emoción:

—¡Qué bueno!

Paula dijo:

—Luisa, ¡ven aquí!

Luisa estaba ayudando a algunos niños con sus problemas de matemática. Se levantó y corrió hacia Paula y su mamá.

—¿Sí? —les dijo.

Ciruela le preguntó:

—Luisa, ¿te gustaría ir a la ciudad para ir a una escuela oficial?

Luisa gritó con emoción:

—¡Sí! Por supuesto, mamá. ¡Quiero ir más que nada!

En los siguientes días Luisa, Paula y Ciruela hicieron las preparaciones para ir a la ciudad. Dijeron adiós a sus amigos del pueblo y empacaron sus pocas posesiones. Antes de salir, ellas visitaron la pequeña tumba de Lolita. Su tumba estaba debajo de un árbol y había una piedra marcando el lugar. Luisa miró hacia el suelo y le dijo a su hermana muerta:

—Querida hermana, sé que moriste muy joven. Pero yo voy a estudiar mucho y voy a ayudar a otras niñas como tú para que esta tragedia no pase a otra familia. Te quiero, hermana, y siempre estarás en mi corazón.

Ciruela no habló pero una lágrima salió de sus ojos. Puso la mano en la cabeza de Luisa. Le dijo:

—Vamos, niña. Vamos a la ciudad.

Mientras Luisa y Ciruela caminaban de la mano y se alejaban de su pueblo, el único hogar que habían tenido, las dos sintieron muchas emociones. Ellas sintieron tristeza y aprehensión, alegría y esperanza, como toda Cuba.

Capítulo 7
El Che vino a cenar

Unos meses después del triunfo de la revolución, la familia de José Santos tuvo un huésped* especial. Todos los miembros de la familia estaban nerviosos y emocionados de conocer a uno de los héroes de la revolución. Las empleadas domésticas habían preparado una cena excelente y la familia vestía ropa formal. A las siete y trece de la noche, se escuchó un toque en la puerta. El padre de José exclamó:

—Voy yo.

Caminó con calma hacia la puerta. Abrió la puerta y dijo:

—Comandante Guevara, pase usted adelante. Está en su casa.

Ernesto "Che" Guevara entró en la casa. José lo miró con admiración y se sintió honrado de tener a un hombre tan famoso en su casa pero también sintió aprehensión. Che era fuerte y parecía tener confianza

---

*huésped *guest*

en sí mismo. Tenía barba, llevaba el uniforme militar y la pistola. José lo había visto muchas veces en la televisión. Pensó que era un hombre muy inteligente pero también peligroso. Che tenía muchas ideas que estaban en conflicto con las ideas de su padre. La familia de José hizo una línea para saludarlo y darle la bienvenida a su casa. Pero antes de sentarse a la mesa para cenar, Che miró al padre de José y dijo algo que toda la familia escuchó:

—Con todo el respeto señor Santos, es la misión de esta revolución eliminar de Cuba a personas como ustedes.

El padre de José no creía lo que había escuchado pero contestó con confianza:

—Muchas gracias por su honestidad, comandante, con igual respeto, debo decirle que el gobierno revolucionario no va a recibir ni un dólar de ingresos del tabaco sin mis contactos internacionales.

Che lo miró a los ojos, hizo una pausa, sonrió amigablemente y contestó:

—Tú me caes bien*, Santos. Pienso que tú y yo vamos a trabajar muy bien juntos.

El padre de José se sintió un poco mejor y ofreció a Che una bebida. Los dos hombres se sentaron a la mesa del comedor con toda la familia y comieron una cena deliciosa.

---

*__Tú me caes bien__ *I like you*

Hablaron de muchas cosas durante la cena. Hablaron del combate durante la guerra. Hablaron de la economía y de cómo el gobierno iba a cambiarla. Che era un hombre carismático pero amenazante y de carácter intenso y serio. Che describió su visión para una Cuba sin pobreza:

—La meta de esta revolución es crear una Cuba donde todos los niños vayan a la escuela y tengan acceso a una buena sanidad, sin importar su nivel social.

El padre de José respondió:

—Es una buena idea. Pero es difícil. ¿Cómo van a financiar todo esto? Hay mucha pobreza en Cuba y no va a ser fácil.

Che respondió:

—Todo es posible. Tenemos que nacionalizar* todas las compañías privadas para que el estado tenga más dinero para el pueblo. Unos pocos individuos no deben tener toda la riqueza. Por ejemplo, mira esta casa que tú tienes. Es muy grande y tiene espacio para seis familias. Ustedes viven una vida lujosa mientras hay muchas personas en todo el país que no tienen nada.

La familia de José se quedó en silencio. José sabía que las cosas iban a cambiar drásticamente para su familia bajo el gobierno revolucionario.

Después de tres horas, Che y el padre de José ha-

---

*Tenemos que nacionalizar *We have to nationalize*

bían establecido una relación comercial pero no de amigos. El padre de José tendría que trabajar con el gobierno revolucionario para mantener las exportaciones cubanas a otros países. No sabía cuánto tiempo tendría su compañía. El gobierno tenía planes para nacionalizar todas las industrias.

Los dos hombres se dieron la mano y Che Guevara salió. El padre de José estaba muy pensativo. José le preguntó:

—Papá, ¿qué piensas de Che? ¿Es buena gente?

Su papá contestó:

—Che es un hombre muy inteligente pero no sé qué pensar. Creo que las cosas en Cuba van a cambiar mucho y no estoy seguro cómo los cambios van a afectar a nuestra familia. Vamos a ver, José… Vamos a ver.

Capítulo 8
Navidad roja

Durante los siguientes meses, el padre de José trabajó con el gobierno de Fidel Castro. Él vendía tabaco cubano en el mercado internacional y daba la mayor parte del dinero al gobierno. El gobierno usaba el dinero para financiar sus programas sociales. El gobierno construía escuelas y hospitales en cada pueblo de Cuba. Aunque Martín, el padre de José, estaba trabajando con el gobierno, él veía con aprehensión los cambios del gobierno de Fidel Castro.

El gobierno de Castro nacionalizó las industrias de turismo, frutas, azúcar, petróleo y tabaco. El gobierno actuaba más y más como un gobierno comunista. Muchas personas en las clases sociales más altas tenían miedo del comunismo. Y muchos de ellos salieron de Cuba o fueron arrestados o sufrieron peor suerte.

La navidad llegó y toda la familia Santos se reunió en la casa de José para celebrar. Había mucha comida y muchas bebidas y toda la familia estaba de buen humor. Al empezar la cena, la conversación era alegre y la familia estaba unida. Toda la familia se reía de los chistes de Martín. Pero todo cambió dramáticamente cuando Alfonso, un tío de José, levantó su copa de vino y dijo:

—Salud, ¡que viva Fidel y que viva la Revolución!

Algunas personas levantaron sus copas pero Francisco, otro tío de José, respondió:

—¡Que Fidel y su revolución se vayan al infierno! No voy a beber por ese hombre.

Alfonso respondió enojado:

—¿Cómo vas a decir eso? Fidel nos liberó de Batista. —Alfonso miró a Antony y dijo— Antony, dile a Francisco que Fidel es el líder fuerte que necesitamos ahora. ¡Además, Fidel está construyendo escuelas y hospitales para todos los cubanos!

Antony no respondió.

Francisco se enojó y le gritó a Alfonso:

—¡Mira! Fidel Castro y su gente sólo quieren más poder y quieren establecer una dictadura aún más sangrienta que la de Batista. ¿No has visto las ejecuciones en la televisión?

Alfonso le respondió fuertemente:

—¡La gente que están ejecutando es la gente de Batista, gente mala! ¡Además, tenemos que establecer un gobierno fuerte para proteger la revolución!

Francisco le dijo bruscamente*:

---

*__bruscamente__ *sharply*

—Alfonso, ahora tenemos un gobierno que no acepta opiniones diferentes. Parece que no hay libre expresión en Cuba. Muchos hombres buenos murieron para liberarnos de Batista y ahora tenemos a otro dictador. Y nosotros sabemos que la CIA va a derrotar a Castro muy pronto. Estados Unidos nunca permitiría que un comunista tuviera el poder en Cuba. Vas a ver, Alfonso.

Alfonso respondió furiosamente:

—Fidel no va a permitir que Estados Unidos controle la política de Cuba. Cuba es un país independiente ahora. Siglos de colonialismo español y décadas de intervención de Estados Unidos terminaron con el triunfo de la revolución. Por fin, tenemos nuestra libertad y no la vamos a perder. Además, tú no debes hablar mal de la revolución porque Antony es un veterano de ella y él está aquí con nosotros.

Toda la familia miró a Antony.

Antony los miró y respondió incómodamente diciendo:

—Miren, hermanos, es Navidad. No hablemos de política. Estamos aquí para celebrar. No dejemos que la política nos divida.

La familia tenía mucho respeto por Antony. Todos volvieron a comer. Trataron de reírse de los chistes del padre de José y sentirse felices. Pero era obvio que la familia estaba dividida entre los que les gustaba la revolución y los que no les gustaba.

Algunos meses más pasaron y el futuro de Cuba

era incierto. La familia de José estaba muy dividida y muchas personas de la clase alta salían de Cuba para ir a Estados Unidos.

Un día el padre de José le dijo seriamente:

—José, creo que tú debes salir de Cuba. Puedes ir a la Universidad de Miami. Puedes esperar hasta que termine el régimen de Castro. Como dijo tu tío Francisco, creo que la CIA va a terminar con el gobierno de Castro en seis meses o un año. Cuando el país esté seguro para nuestra familia, tú puedes regresar y terminar los estudios aquí.

José hizo los preparativos para ir a Miami. Estaba emocionado por conocer un lugar nuevo pero también tenía miedo y estaba triste de dejar a su familia y su casa. La última noche allí fue muy difícil. No sabía cuándo iba a volver a su casa y cenar con su familia y dormir en su cama. José miró las líneas en la pared que indicaban su altura. Había crecido en esta casa y en esta isla. Esperaba volver a Cuba antes de Navidad. Nunca pensó que esa noche iba a ser la última que pasaría en su casa querida.

Capítulo 9
La educación de Luisa

Luisa y su madre estaban contentas en su apartamento nuevo. El apartamento tenía una sala pequeña, un dormitorio, un baño y una cocina. Hacía mucho calor así que las ventanas siempre estaban abiertas. En la sala había una mesa.

Luisa dijo:

—Mamá, voy a hacer mi tarea aquí. Y voy a poner mis libros aquí.

Luisa tenía estrellas en sus ojos. Estaba muy emocionada de estar en la ciudad y de empezar la escuela.

Su mamá le dijo:

—Está bien, mi amor. ¿Sabes que tu padre viene pronto? Me escribió un mensaje. Va a llegar en una semana.

—¡Qué bueno, mamá! ¡Quiero verlo! Todo está mejorando con la Revolución.

—Sí, mi amor, las cosas están cambiando. Nunca en mi vida pensé que íbamos a vivir en un apartamento, ni que irías a la escuela. Gracias a tu padre, a tu hermano, a Rolando y al comandante Fidel, tenemos un gobierno que se preocupa por nosotros. Nunca más sufriremos el abuso de un jefe como Don Pablo.

El primer día de escuela, Luisa se puso el uniforme. Caminó siete cuadras para llegar a la escuela primaria. Entró en la sala de clase y se sentó en el primer pupitre. Era el año 1960 y Luisa estaba en sexto grado. Había aprendido mucho de Paula pero se sentía nerviosa. La profesora de la clase se llamaba Señorita Ramírez.

Ella dijo:

—Hola clase, buenos días. Yo soy la Señorita Ramírez. Soy su maestra. Hoy vamos a aprender sobre nuestro héroe nacional, José Martí.

Luisa levantó la mano y dijo:

—¡Yo sé quién es! Es el padre de nuestra patria. He leído sus poemas.

—Muy bien, Luisa —respondió la señorita Ramírez—. Él luchó contra los españoles en la guerra de la independencia cubana y estableció la base para nuestra independencia de la dictadura de Batista.

Y así continuó la educación de Luisa. Ella pasaba los días feliz.

Los días se hicieron meses y los meses se hicieron años. Su padre trabajaba de policía. Su hermano Carlos se quedó en las Fuerzas Armadas Revolucionarias y recibió muchos ascensos militares. Rolando, el amigo de la familia, pasaba sus días tocando música y trabajando en una fábrica de papel. Luisa estudiaba mucho y tenía mucho éxito en sus clases.

Luisa llegó a ser una mujer muy fuerte y orgullosa. Ella estaba muy ocupada participando en varios movimientos estudiantiles. Protestaba contra la guerra en Vietnam y trabajaba por la revolución cortando caña cuando el gobierno dijo que todos los cubanos deberían participar en la zafra. Y cuando Che Guevara fue a hablar con un grupo de jóvenes, ella fue a verlo con todos los otros estudiantes en la escuela.

Ella veía a Che como si fuera un santo. Ella pensaba que todas sus oportunidades de estudiar y vivir en la ciudad existían porque Che y los otros revolucionarios lucharon y ganaron la revolución. Luisa estaba muy orgullosa porque su hermano Carlos era uno de los soldados que estaban con Che ese día.

Che dijo:

—¡Compañeros revolucionarios! Hemos logrado mucho. ¡Hemos logrado que todos los cubanos tengan acceso a salud gratuita!

Con esto Luisa y sus compañeros gritaron de emoción y orgullo.

Che siguió:

—Hemos construido hospitales y clínicas en cada parte de esta isla bella. Hemos enseñado a todos a leer y escribir. Cuba es un país con un cien por ciento de alfabetización. Ningún cubano será analfabeto nunca más.

El público aplaudió otra vez con un espíritu muy fuerte.

Luisa comentó a su amiga:

—Mira, allí está mi hermano Carlos. Él está detrás de Che.

Ella respondió:

—¡Qué bueno tener un hermano tan cerca de Che.

Luisa respondió:

—Sí, Carlos luchó con Che en la Sierra Maestra. Estoy muy orgullosa de él.

Che habló sobre la importancia de vivir una vida revolucionaria. Habló de la necesidad de eliminar el imperialismo de los países más ricos y de proteger los intereses de la gente pobre. Che declaró que el socialismo acabaría con la injusticia y que todos tenían la responsabilidad de contribuir a los bienes de los demás.

Che dijo con pasión:

—En todas partes del mundo, millones de personas sufren por la violencia, la explotación y la pobreza. Cuando una sociedad no provee la medicina a un bebé, esto es un acto de violencia que el mundo no debe tolerar.

Al escuchar este punto Luisa pensó en su pequeña hermana Lolita. Pensó que Lolita había muerto por nada. Estaba triste y enojada pero inspirada también.

Che continuó:

—Déjenme decirles, a riesgo de parecer ridículo, que el revolucionario verdadero está guiado por grandes sentimientos de amor.

Luisa aplaudió muy fuerte a Che. Para Luisa y

muchas personas pobres alrededor del mundo, Che representaba la esperanza.

*****

Después de escuchar a Che, Luisa estaba más inspirada que nunca para ser doctora. Ella trabajó aún más en sus estudios y era una de las mejores estudiantes de su clase. Era muy impresionante que una chica pobre llegara a ser tan educada. Esto nunca habría pasado bajo el gobierno de Batista. Ella representaba todo lo que era posible gracias a la revolución.

Luisa entró en la Universidad de Ciencias Médicas de La Habana. Al llegar a la Habana ella descubrió una ciudad llena de cultura, actividades y mucha energía. Se escuchaba música en las calles y había conciertos en los parques. Los fines de semana Luisa iba a los conciertos para escuchar la música que tocaban. Algunos artistas tocaban música afrocubana. Esta música le recordaba esos tiempos cuando su madre cantaba y su padre y su hermano tocaban música para la familia.

Un sábado, ella estaba caminando en medio de un festival de música cuando vio a Rolando. Él tenía pelo largo y llevaba la guitarra. Luisa le dijo:

—¡Rolando! ¿Cómo estás?

Rolando la miró pero no la reconoció.

Él le dijo:

—Perdón, pero no te reconozco. ¿Cómo te llamas?

En ese momento hizo una pausa y gritó:

—¡LUISA, ayayay! ¡Eres toda una mujer! —Rolando le dio un abrazo fuerte— ¿Qué estás haciendo aquí en la Habana?

Luisa respondió:

—Estoy en la universidad estudiando medicina. Y tú, ¿qué estás haciendo? ¿Te dedicas a la música?

Rolando dijo:

—Sí, soy cantante. ¿Cómo está tu familia?

—Mi familia está muy bien. Mis padres viven en Santiago. Mi hermano está en las Fuerzas Armadas Revolucionarias. Y yo estoy aquí, realizando mi sueño de ser doctora. ¿Y tú? ¡Pareces un hippy con tu guitarra y tu pelo largo!

—Pues, estoy tratando de vivir de mi música*. Toco en varias bandas pero me gusta más cantar mis propias canciones.

Luisa estaba emocionada. Le preguntó:

—¿Escribes canciones? Quiero escucharlas. ¿Cuándo es tu próximo concierto?

Rolando hizo una pausa y respondió:

—Bueno, es complicado. Yo iba a dar un concierto el próximo viernes pero el gobierno me lo canceló. El Ministerio de Cultura dijo que una de mis canciones era contrarrevolucionaria.

Luisa contestó sorprendida:

---

de vivir de mi música make a living off my music

—¡¿Cómo puede ser?! Luchaste con Che y Carlos. ¡Eres muy revolucionario!

—Pues, lo sé, pero mis canciones son muy poéticas y el Ministerio de Cultura es muy paranoico. Con todas las actividades contrarrevolucionarias que están pasando en Cuba, el ministerio quiere censurar cualquier cosa que pueda provocar dudas sobre el gobierno —respondió Rolando.

—¡Pero no es justo! —exclamó Luisa.

—Lo sé. No es justo —contestó Rolando—. No te preocupes, después de un tiempo voy a organizar otro concierto y tengo confianza que me den el permiso. Pero mientras tanto, puedo tocar música tradicional.

Luisa estaba feliz de ver a su viejo amigo. Ellos hicieron planes para encontrarse otra vez muy pronto.

Capítulo 10
La educación de José

El 15 de junio de 1960, José dijo adiós a su familia, subió a un avión y salió de Cuba. Él fue noventa millas hacia el norte pero entró en un mundo totalmente diferente. Llegó a la Universidad de Miami y empezó su primer semestre. Muchos cubanos como José habían salido de Cuba durante este tiempo pero todos pensaban que iban a volver a Cuba para las fiestas de Navidad. José pensó: <<Esto no va a ser muy difícil. Voy a vivir en una residencia estudiantil con otros jóvenes. Es como estar de vacaciones. Ojalá que haya chicas bonitas.>> Sin embargo, José vio muy pronto que las cosas no serían como él pensaba.

El choque de culturas ocurrió su primer día de estar en la residencia estudiantil. José se levantó y no tenía comida. Pensó, <<¿Dónde está el desayuno?>> Él quería preguntarle a otro estudiante pero no sabía hablar inglés. José había tomado clases de inglés en Cuba pero no hablaba mucho. Entonces decidió ir a su primera clase sin comer. Miró el papel con su lista de clases y no comprendió mucho. Pensaba que tenía que ir a Merrick Hall. Salió de su dormitorio y buscó su clase. No la encontró. José estaba totalmente perdido.

Después de caminar en círculos por media hora José regresó a su residencia totalmente frustrado y con mucha hambre. Cuando entró en su cuarto notó que nadie había arreglado su cama. Él pensó, <<¿Qué extraño? ¿Por qué no limpiaron mi cuarto?>> Salió otra vez para buscar comida.

José vio a un estudiante y le dijo en su acento cubano:

—Hello, where to food?

El otro estudiante le respondió en inglés muy rápido y José no comprendió:

—Bla bla bla…

El otro estudiante llevó a José a una cocina que tenía un refrigerador, una mesa y una estufa. Había comida en el refrigerador, pero no era la comida de José. José pensó, <<Veo la cocina. Pero, ¿dónde están las empleadas domésticas que preparan la comida?>>

El otro estudiante se dio cuenta* de que José no tenía comida para preparar y al fin le dijo:

—Joe, bla bla bla… Burger King, bla bla bla…

Entonces, los dos caminaron a un Burger King. José estaba feliz. ¡Por fin podía comer! Le dijo gracias a su nuevo amigo y entró. Pidió un cheese whopper.

---

*se dio cuenta *realized*

Por tres semanas José sólo comía en Burger King y sólo pedía un cheese whopper porque era la única cosa que sabía decir en inglés.

Rápidamente José se dio cuenta de que en su dormitorio no había empleadas domésticas para limpiar su cuarto. Todas sus clases eran difíciles porque los profesores sólo hablaban inglés. Algunas veces la gente se burlaba* de su acento cubano y en algunas tiendas había letreros que decían, English Only! José se sentía muy solo y siempre soñaba con volver a Cuba. Quería volver a su casa grande con su familia y su buena vida.

Pero las cosas en Cuba estaban peores para la familia de José. En octubre de 1960 la compañía de su padre fue nacionalizada. La Navidad vino y se fue* y el gobierno de Castro todavía tenía el poder en Cuba. Los contrarrevolucionarios y Estados Unidos estaban trabajando fuertemente para eliminar a Fidel Castro con misiones secretas de la CIA y acciones públicas como el embargo comercial. Sin embargo, el gobierno de Castro sólo se ponía más y más fuerte.

José era joven, en su primer año de la universidad en un nuevo país; no hablaba el idioma y estaba tratando de adaptarse a su nueva vida. Como si todo eso no fuera suficiente,* José se encontró* en medio

---

*se burlaba *made fun of*
*se fue *left*
*como si no fuera suficiente *as if that weren't enough*
*se encontró *he found himself*

62

de un conflicto de espionaje internacional. En Cuba, el padre de José estaba trabajando de doble agente. Él ayudaba al gobierno de Castro con sus conexiones internacionales de tabaco. Pero en secreto, él daba información de espionaje a la CIA. Su padre le escribía cartas normales de un lado del papel y al otro lado del papel escribía mensajes secretos para la CIA en tinta* invisible. Cuando José recibía las cartas, se las daba a un agente de la CIA. Las cartas secretas contenían información sobre planes económicos, políticos y militares. El gobierno de Estados Unidos usaba esa información contra Castro. Cuando José le daba las cartas al agente de la CIA, se sentía un poco como James Bond.

Sin embargo, las cosas que estaban pasando en Cuba con su familia no eran nada de Hollywood. La tía y la hermana de José estaban ayudando la contrarrevolución transportando armas. Otros miembros de la familia de José apoyaban la revolución. Su familia estaba dividida. Poco a poco, la adversidad transformaba a José. José maduraba* con cada dificultad. Y después del fracaso de la invasión de la Bahía de Cochinos* en abril de 1961, José tenía que aceptar la realidad de que Estados Unidos iba a ser su nuevo hogar y que nunca podría volver a su casa en Cuba.

---

*tinta *ink*
*maduraba *matured*
*la Bahía de Cochinos *the Bay of Pigs*

Capítulo 11
Las dos muertes de Antony Santos

Un viernes por la noche en enero de 1961, José estaba en su dormitorio estudiando. Bebía café y leía su libro de biología. La luz de la lámpara iluminaba el pequeño dormitorio y él luchaba para comprender las palabras en el libro. Todos sus compañeros estaban en las fiestas pero él tenía que estudiar el doble para entender el inglés.

Alguien tocó a la puerta:

—José, tienes una llamada de teléfono de Cuba. Es urgente.

—Gracias.

José pensó, <<¡Qué raro! ¿Por qué me están llamando a esta hora?>>

José corrió hacia el teléfono en el corredor y dijo:

—Hola, soy José.

Su padre le respondió en voz triste:

—Escucha, José, tengo malas noticias. Tu tío Antony está muerto. Lo mataron.

José sintió como si alguien le hubiese golpeado en el estómago.* Se sentó en el suelo con la mano en la cabeza y le respondió:

—¿Mataron a tío Antony?...¿Quién?...¿Por qué?

Su padre respondió:

—Lo siento, José. Todos estamos muy tristes. No puedo explicar los detalles por teléfono. Espera mi carta. La carta tendrá más información. Tu madre, hermanos y yo estamos seguros. No te preocupes por nosotros. José, te quiero mucho. ¿Vas a estar bien?

José trató de no llorar. Se sentía muy triste pero tenía que ser fuerte para su padre.

—Sí, papá. Voy a estar bien. Sí, papá, cuídate mucho. Te quiero también.

—Adiós, mi hijo, mi carta llegará pronto.

—Adiós, papá.

José colgó* el teléfono. Regresó a su dormitorio y lloró.

Dos días más tarde, José recibió una carta de su padre. La abrió inmediatamente y empezó a leer.

Querido José,

¿Cómo estás, mi hijo? Todo aquí está bien. Tu madre y yo estamos contentos después de las fiestas del año nuevo. La vida es tranquila y mi trabajo va bien con el gobierno…

---

*como si alguien le hubiese golpeado en el estómago *as if someone had punched him in the stomach*
*colgó *hung up*

José pensó, <<¿Dónde está la noticia de tío Antony?>> De repente recordó que su padre escribía información secreta en tinta invisible. Rápidamente, José usó la sustancia química que reveló la tinta invisible y de repente vio la carta verdadera.

Querido José,

Tu tío Antony está muerto. La policía secreta lo mató. Antony empezó a trabajar para la contrarrevolución. Era espía para la CIA y les daba mucha información. Además, Antony estaba organizando un grupo para atacar al gobierno revolucionario y quitar a Fidel Castro del poder. Sin embargo, la policía secreta lo descubrió. Antony tenía que escapar de Cuba.

Antony subió a su Jeep y salió de la Habana para subirse a un submarino que la CIA había mandado para recogerlo. Nunca llegó al submarino. La policía lo interceptó y lo mató allí mismo. Todos estamos tristes. Pero no llores, Antony murió por una Cuba libre y debes estar orgulloso de él. Te quiero, mi hijo.

Hasta pronto,

Tu padre

José no pudo dormir durante toda la noche. Fue una noche muy larga.

Mientras tanto, en Cuba Luisa estaba visitando a sus padres. Estaban preparando una cena para la familia. Carlos y Manuel ponían la mesa mientras la radio tocaba música cubana. Carlos estaba cantando una canción de Benny Moré, un cantante famoso cubano, cuando escucharon un boletín de noticias.

Interrumpimos este programa para darles una noticia importante. Antony Santos, el comandante revolucionario del Segundo Frente del Escambray, fue asesinado por elementos contrarrevolucionarios. El comandante Santos estaba haciendo una misión secreta para la fuerza de seguridad cubana cuando fue atacado por enemigos contrarrevolucionarios.

Testigos confirmaron que Antony y sus compañeros lucharon heroicamente hasta el final y gritaron —¡Patria o Muerte! —antes de que fueran asesinados por los enemigos de la Revolución.

El valiente comandante Antony Santos se había infiltrado a la CIA en Cuba y sus actos valientes previnieron varios actos de terrorismo. La Revolución ha perdido a un héroe valiente. Pero no llores, Cuba, porque el comandante Santos murió por una Cuba libre… Gracias por escuchar Radio Rebelde, la estación oficial de Cuba y la voz de la Revolución.

Carlos sintió un dolor fuerte en el estómago como

si alguien le hubiese golpeado. Se sentó en la mesa y puso la mano en la cabeza. Trató de no llorar. Su padre Manuel le dijo:

—Carlos, ¿estás bien, hijo?

—Sí, papá. Pero esto es terrible. Antony me salvó la vida durante el combate.

Ciruela puso la mano en la espalda de Carlos. Luisa le dio un vaso de agua y se sentó a su lado.

—Antony era uno de los mejores revolucionarios —dijo Carlos—. Nunca lo olvidaré.

Carlos recordó el momento en que Antony lo había empujado detrás del árbol para salvarlo de una bomba. Manuel levantó su copa al aire y dijo con voz triste:

—¡Que viva el comandante Antony! ¡Que viva la Revolución!

CAPÍTULO 12
Grandes Noticias

Luisa había salido de la escuela de medicina y se había establecido como doctora. Su especialidad era pediatría. Luisa siempre tenía buenas relaciones con sus pacientes y le gustaba mucho visitarlos en sus casas. Luisa y Rolando pasaban mucho tiempo juntos y se hicieron muy buenos amigos. Una noche, ellos estaban caminando por el Malecón* en la Habana. Rolando la miró con una intensidad diferente. Él estaba un poco nervioso y le dijo:

—Luisa, tú eres una mujer especial.

—Gracias. Tú también eres muy especial. Me gustan todas tus canciones. Siempre dices cosas importantes para la sociedad.

Rolando la interrumpió:

—No, Luisa, no estoy hablando de tu vida profesional. Tú siempre has sido una mujer especial para mí… personalmente. O sea —Rolando tomó la mano de Luisa suavemente y la miró a los ojos—. Luisa,

---

*el Malecón *boardwalk*

yo... yo te amo.

Luisa se quedó en silencio. No sabía qué decir. Estaba sorprendida y no comprendía todas sus emociones. Después de un rato le dijo:

—Oh, Rolando... No... no sé qué decir.

Ella lo miró a los ojos y le dio un beso grande. Después del beso le dijo:

—Yo también te amo.

*****

Rolando y Luisa estaban muy contentos. Ellos pasaban mucho tiempo juntos y ella iba a todos sus conciertos. Rolando se hizo muy popular en Cuba y en toda América Latina. Sin embargo, el gobierno siempre miraba sus canciones. Muchas veces el gobierno censuraba sus canciones y él tenía que cambiar las palabras. A Rolando no le gustaba cuando no podía expresarse libremente. Tenía un espíritu libre y se sentía oprimido. Sin embargo, Luisa y Rolando estaban felices como novios y vivían tranquilos hasta que llegó una noticia importante.

En la primera página del periódico de Cuba, *El Granma*, el título exclamaba: **¡VICTORIA EN NICARAGUA!**

Luisa exclamó:

—¡Rolando, mira! ¡Los Revolucionarios Sandinistas echaron al dictador Anastasio Somoza en Nicaragua!

—¡Qué bueno! Somoza era un dictador terrible como Batista. Ahora, los nicaragüenses están libres de él y de su régimen violento.

Toda Cuba celebraba la victoria de los sandinistas. El gobierno de Cuba hizo preparativos para continuar su ayuda al nuevo gobierno en Nicaragua. El gobierno cubano necesitaba voluntarios para ir a Nicaragua para ser maestros y doctores. Luisa dijo sin vacilar:

—¡Yo voy! Nicaragua necesita mucha ayuda ahora y yo quiero hacer mi parte. Rolando, tú puedes ir también para dar un concierto.

Rolando tenía fama internacional y muchas personas en Nicaragua escuchaban su música.

Rolando contestó:

—Sí, quiero ir. Nunca he dado un concierto allí.

—Pues, mi amor, juntos podemos ir —le dijo Luisa.

—Sí, pero un concierto sólo es por un día. Si tú vas para ser doctora, vas a estar en Nicaragua por dos años —le respondió Rolando con preocupación—. Dos años es mucho tiempo.

—Pues, yo entiendo, mi amor, pero es mi responsabilidad. Quiero ayudar en lo que pueda y esta es mi oportunidad.

Rolando estaba triste. Él no quería separarse de Luisa por dos años. Además estaba triste porque su primo salió de Cuba para vivir en Estados Unidos. Muchas personas estaban saliendo de Cuba porque querían más libertad y más oportunidades económicas. El gobierno de Cuba era muy represivo. La vida era muy difícil para las personas que tenían ideas que eran diferentes a las del gobierno. Ellos podían perder su trabajo o recibir abuso de la comunidad o de la policía política. O, en casos serios, ser arrestados. Muchas personas tenían miedo de expresarse libremente porque cualquier persona podía informar a la policía política y esto les causaría problemas serios.

Durante las siguientes semanas hubo mucha actividad en la vida de Luisa y Rolando. Luisa empacó sus instrumentos de medicina y Rolando empacó su guitarra. Ellos salieron con una delegación grande de cubanos para ayudar el nuevo gobierno revolucionario de Nicaragua. Muchos de ellos sentían un espíritu revolucionario que inspiraba confianza y orgullo. Pero Rolando no sentía lo mismo. Él tenía un secreto.

Rolando y Luisa abordaron el avión. Una vez en el aire, Rolando le dijo:

—¿Sabes qué? No tengo ninguna canción para Nicaragua.

—Pues, tienes que escribir una —contestó Luisa.

—Sí, es cierto, voy a escribir una ahora.

Rolando sacó su guitarra y una hoja de papel y empezó a escribir.

El amanecer en Nicaragua

El sol amaneció en Nicaragua y dio vida nueva,
El sol amaneció en Nicaragua y dio vida nueva,
al campesino dolido y su carreta sin rueda.

al campesino dolido y su carreta sin rueda.
El sol llegó a Nicaragua y brilló con el fuego,
El sol llegó a Nicaragua y brilló con el fuego,
para quemar la basura, del viejo dueño.
Para quemar la basura, del viejo dueño.
Ahora el niño con hambre, ya tiene que comer
de la fruta deliciosa y su propio deber.
Y la maestra y doctora, pueden destruir
la ignorancia y la muerte y esto quiere decir,
que viva Nicaragua, de tu hermana sincera,
que viva Nicaragua, de tu Cuba entera.
Que viva Nicaragua,
que viva Nicaragua,
que viva Nicaragua,
que viva la esperanza.

Rolando cantó la canción en el avión y todos los compañeros aplaudieron con entusiasmo. Luisa le dijo:

—¡Bravo, Rolando! ¡Al pueblo nicaragüense le va a encantar!

Rolando sonrió y le respondió:

—¡Gracias, mi amor!

Cuando llegaron al calor intenso de Managua, Nicaragua, Luisa notó que había mucha seguridad por todas partes. Ella tenía que ir con la delegación civil de Cuba. Rolando tenía que ir a su hotel. Llegó el momento de separarse. Luisa le dijo a Rolando:

—Rolando, no puedo ir a tu concierto porque voy a un pueblo en el campo. Pero, sé que vas a hacer un concierto excelente.

Rolando estaba muy triste. Ellos tenían que decir 'adiós'. Rolando le dijo:

—Mi amor, tengo un secreto.

—¿Qué es?

—Pues, no quiero volver a Cuba. Quiero emigrar a Estados Unidos.

Luisa estaba totalmente sorprendida.

—¿Qué? Pero, ¿por qué? —ella respondió.

—Luisa, la vida en Cuba es muy difícil para mí. En realidad no puedo expresarme con mi música. El gobierno me censura mucho. No puedo viajar a otros países sin permiso del gobierno. No tengo libertad de ser quien soy. Ahora mi primo está en Estados Unidos y yo quiero ir también. Ven conmigo.

Ella respondió enojada:

—¡NO! No puedo creer que quieras abandonar Cuba. ¿Eres un traidor? —le dijo Luisa seriamente.

—Luisa, no quiero abandonar Cuba. ¡Yo amo Cuba y no soy traidor! Pero el gobierno está sofocándome con la censura. Sólo quiero ser libre.

Luisa estaba temblando de emoción. Se sentía triste, enojada y confundida. Ella amaba a Rolando pero había dedicado su vida a la revolución. Ahora ella tenía que decidir entre los dos. Ella respondió:

—Yo te amo, Rolando. Pero si tú vas a Estados Unidos, yo no voy a ir contigo. Yo voy a volver a Cuba.

Rolando no dijo nada. Él estaba muy triste. Los dos se abrazaron fuertemente. Se dijeron 'adiós' porque no sabían qué iba a pasar en el futuro.

Capítulo 13
Una promesa cumplida

Luisa conoció a su contacto en el ejército sandinista. Ella le preguntó al sargento:

—¿Por qué hay tantos soldados aquí?

El sargento contestó:

—Hay mucha actividad contrarrevolucionaria. Ellos se llaman la contra. Están atacando muchos pueblos en las partes rurales del país y nosotros estamos en alerta siempre para defender la capital.

—¿Entonces están en guerra civil? —le preguntó Luisa preocupada.

—Sí, es una guerra civil. Pero la mayor parte de los nicaragüenses están a favor de la revolución sandinista. Estados Unidos está financiando y entrenando la contra porque no le gusta la revolución.

—Yo entiendo —dijo Luisa—. Lo mismo pasó en Cuba después de nuestra revolución. Pues, no se preocupen, los cubanos estamos aquí para ayudarles. Soy doctora en pediatría y me llamo Luisa.

—¡¿Una mujer doctora?! ¡Qué impresionante! —dijo el sargento sorprendido.

—Pues, en Cuba es normal. Las mujeres tenemos las mismas oportunidades que los hombres. Mejor dicho, casi las mismas oportunidades —respondió Luisa.

—Luisa, es un placer. Soy el sargento Antonio Vereda. Mucho gusto compañera.

—Mucho gusto, compañero.

Antonio y otros soldados del Frente Sandinista de Liberación Nacional (FSLN) acompañaron a Luisa al pueblo donde iba a trabajar. Era un pueblo campesino. Cuando Luisa llegó allí, pensó en su pueblo en Cuba. Las casas eran pobres y pequeñas. Se parecían a su casa cuando era niña. Ella pensaba en su madre cocinando y los días largos cortando caña de azúcar. Luisa vio a una niña jugando con una muñeca vieja y pensó en su hermana Lolita.

Un hombre le dijo:

—¡COMPAÑERA! Bienvenida a Nicaragua. Gracias por venir. Yo soy el comandante Chepe Rivera. Me puedes llamar Chepe. ¿Cómo fue el viaje?

—Pues, bien, compañero. Gracias por tu hospitalidad. Me gusta este pueblo. Es como mi pueblo cuando era niña. Mi familia cortaba caña de azúcar antes de la revolución.

—Sí, aquí cultivamos maíz, frijoles y plátanos.

Luisa estaba contenta en su nuevo hogar. Pero estaba triste de ver el mal estado de salud de la gente. Muchos campesinos nunca habían tenido acceso a servicios médicos antes de la revolución sandinista. Todos los días Luisa se levantaba muy temprano y preparaba su pequeña clínica improvisada. Tenía un asistente nicaragüense que se llamaba Juan. Ellos ponían inyecciones a los bebés, daban medicinas a los enfermos y hacían clases de salud pública con los campesinos. De vez en cuando soldados sandinistas heridos* llegaban de alguna batalla. Estos momentos eran muy intensos pero Luisa era una doctora excelente y tenía calma y confianza.

Cuando Luisa no tenía muchos pacientes, a ella le encantaba ayudar a la maestra del pueblo. Luisa le ayudaba a enseñar a los campesinos a leer y escribir.

Una noche, Luisa y sus compañeros estaban descansando. Juan tenía su guitarra y estaba cantando suavemente la canción Casas de cartón:

Qué triste, se oye la lluvia
en los techos de cartón.
Qué triste, vive mi gente,
en las casas de cartón.

La canción tenía una melodía bonita con palabras tristes. Todos pasaron un momento de paz, tranquilidad y reflexión. Las estrellas brillaban tranquilamente en la brisa de la noche. Luisa estaba relajada. De repente, escucharon un grito:

—¡Comandante! El escuadrón Carlos Fonseca re-

---

*heridos *injured/injuries*

cibió fuego en esta zona. Llegaron dos hombres heridos. ¡Doctora, ven!

Luisa se levantó rápidamente y agarró su equipo médico. Luisa y Juan corrieron rápidamente hacia los dos soldados heridos.

Luisa les preguntó:

—¿Qué les pasó?

Un soldado contestó:

—Estábamos caminando en el pueblo Dos Ríos, cuando la contra nos sorprendió. Luchamos con la contra. Sin embargo, ellos tiraron misiles al pueblo. Hay heridos allí también. Necesitan ayuda pronto. Ve a ayudarlos.

Luisa contestó con calma:

—Tranquilo, compañero. Te vamos a ayudar a ti primero. Juan, pon una venda* en el brazo y dale una inyección de morfina. Quédate* aquí con estos soldados. Yo voy a ir con Chepe al pueblo Dos Ríos. Tenemos que ayudar a los heridos del pueblo. ¡Chepe, trae el jeep! ¡Llévame a Dos Ríos!

—Sí, vamos en el jeep. ¡Rodríguez! ¡Bolívar! ¡Vengan con nosotros!

Luisa y los tres hombres subieron al jeep y salieron para Dos Ríos. El jeep iba muy rápido. El corazón de Luisa palpitaba fuertemente. Había visto a

---

*venda *bandage*
*Quédate *stay*

varios heridos de combate pero nunca había estado en una zona de guerra. Respiró profundamente cuando, ¡¡¡BUUUUUUM!!! El jeep detonó una mina y todos se cayeron del jeep. Luisa estaba consciente. Le dolía mucho la cabeza pero parecía estar bien. Tomó un momento para recordar dónde estaba y para ver cómo estaban sus compañeros. Ella les gritó:

—¡Chepe, Rodríguez, Bolívar! ¿Cómo están?

Chepe respondió:

—Estoy bien. ¡Rodríguez está herido pero no parece grave!

—Yo estoy bien también —dijo Bolívar.

Luisa vio fuego en el pueblo. Ella se levantó lentamente y agarró su equipo. Les dijo a sus compañeros:

—Ya veo el pueblo. Voy a seguir.

Luisa caminó hacia Dos Ríos. Vio unas casas quemándose. Gritó:

—¡Hola! ¡Soy doctora! ¿Hay alguien aquí?

Una mujer respondió:

—¡Doctora! ¡Estamos aquí! ¡Ven por favor!

Luisa corrió hacia la voz. Entró en una pequeña casa. Pasó por debajo de una hamaca. Vio a una mujer con su hija en los brazos. La niña tenía sangre en la ropa. La madre le dijo:

—Ven. Mira a mi hija. Ha perdido mucha sangre.

En un instante Luisa encontró la herida, la limpió y la cubrió con una venda.

Luisa le preguntó a la madre:

—¿Cómo se llama tu hija? ¿Cuántos años tiene?

La madre contestó:

—Se llama María y tiene tres años. ¡Ayúdala por favor!

Luisa le dijo a la niña:

—Hola, María, todo va a estar bien. Estás bien ahora. María, escúchame. Me llamo Luisa. Soy doctora. Vas a estar bien.

Luisa trabajaba con una confianza y tranquilidad que venía de muchos años de experiencia. Sintió que toda su vida había sido la preparación para este momento. Luisa miró a los ojos de María con intensidad y amor. En la oscuridad, la casa en Nicaragua se convirtió en la pequeña casa de Luisa en Cuba. Luisa ya no veía la cara de María sino que veía a su hermanita Lolita. En ese momento, la guerra, el mundo y el tiempo pararon. Sólo existían las tres almas abrazándose en esta casita en el campo.

Capítulo 14
Una nueva vida para José

En 1964 José se graduó de la Universidad de Miami con su maestría en economía. Consiguió un trabajo en Detroit, Michigan. Aunque José tenía mucho frío en el norte de Estados Unidos las cosas iban bien para él. Por lo general, los cubanos que huyeron del gobierno revolucionario llegaron a Estados Unidos sin nada. Sin embargo, el padre de José había puesto mucho dinero clandestinamente en bancos norteamericanos antes de salir de Cuba. José tenía más que muchos inmigrantes cubanos.

Cada Día de Acción de Gracias y cada Pascua de Resurrección iba a Virginia donde vivían su tío y su tía. Su tío trabajaba en la industria del tabaco en Virginia. Cuando José iba a visitarlos, su tía siempre invitaba a alguna mujer para acompañar a José a una cena formal. Era como una cita a ciegas*.

A José le gustaban estas citas a ciegas. Las citas

---

cita a ciegas blind date

siempre eran muy formales y amistosas pero durante la cena de Pascua en 1965, su vida cambió para siempre. José decidió llevar a sus tíos y la chica de su cita a un restaurante elegante. Cuando José llegó a la casa de sus tíos, su tío le dijo:

—José, te presento a Julie. Ella va a acompañarnos esta noche.

José sólo dijo:

—Uh, hello. Nice to meet you.

Ella respondió en inglés:

—Hola, mucho gusto.

A José le encantó Julie por sus bellos ojos, su actitud amistosa y su suave acento sureño de Virginia.

José se enamoró a primera vista. José tenía dificultad para concentrarse en la comida. Sólo podía pensar en la chica bella que estaba sentada en frente de él. Durante la cena, José estaba hipnotizado por su interesante conversación y su bonita sonrisa. José estaba tan enamorado que después de dejarla* en su casa, se quedó despierto hablando con su tía hasta muy tarde en la noche. Al final, él dijo:

—Tía, estoy enamorado. ¡Pero esto no está bien! Soy un hombre joven y no quiero tener una relación seria. ¡Creo que estoy loco!

—José, tranquilo. No te preocupes. Acabas de conocerla. Necesitas más tiempo con ella. Creo que debes salir con ella otra vez —su tía respondió.

---

*después de dejarla *after leaving her*

—Tía, tienes razón. ¿Crees que debo salir con ella mañana? —respondió José.

—Sí, tú estás loco por esa mujer. Debes ver si es un amor verdadero —le contestó con una sonrisa.

Al día siguiente José llamó a Julie por teléfono a las nueve de la mañana. El padre de Julie contestó y dijo en su acento sureño de Virginia:

—Hola.

José contestó con su acento fuerte cubano:

—Hola. Soy José. ¿Me permite hablar con Julie, por favor?

—Hola, José. Soy el padre de Julie. Ella nos habló mucho de ti. La impresionaste mucho anoche.

José estaba feliz porque su padre no le gritó con disgusto. Pero también estaba muy nervioso.

—Gracias, señor. Yo estoy impresionado con ella también —respondió José.

De repente pensó, <<¡Qué comentario más estúpido!>> y continuó—. O sea, ella es muy impresionante. <<¡Ay, Dios! ¡Soy un idiota!>>

El padre de Julie era muy simpático y se dio cuenta de que José estaba muy nervioso y le dijo:

—Sí, ella es impresionante para nosotros también. Ya te la paso.* ¡JULIE! ¡Es José!

José escuchó un grito femenino de emoción, de inmediato los pasos de Julie corriendo hacia el teléfono y de repente la voz de Julie:

---

*__Ya te la paso__ *I will pass her over to you*

—Hola —dijo con su dulce voz—. José, ¡qué sorpresa!

Ellos hablaron por media hora y salieron esa noche para cenar. Después de la cena José supo que Julie era la mujer de su vida. Su personalidad viva y sus ojos bonitos le encantaban. José visitó a Julie muchas veces durante los siguientes meses. Ellos estaban muy contentos. Se casaron después de ser novios por solamente cuatro meses.

Una noche después de su luna de miel, Julie le preguntó a José:

—José, ¿te gustaría volver a Cuba algún día?

José respondió abruptamente:

—¡No quiero volver mientras los Castro tengan el poder! Castro y los comunistas le robaron todo a mi familia y mataron a mi tío. Volver a Cuba sería un acto de traición a la causa de la libertad.

—Pero José, todavía tienes familia allí. ¿No quieres ver a tu familia? —respondió Julie suavemente.

José respiró profundamente y dijo:

—Julie, después de la Revolución, mi familia se dividió. Me duele decirlo pero no quiero ver a esa parte de mi familia que apoya a Castro. Estoy muy enojado con ellos.

Julie tomó su mano y le dijo:

—Yo entiendo que estés enojado, José, pero la familia es más importante que la política. Espero que un día puedas volver y hacer las paces con tu familia.

José se quedó en silencio y pensó en lo que había dicho su esposa.

Capítulo 15
El Período Especial

Después de dos años en Nicaragua, Luisa volvió a Cuba. En Nicaragua ella había visto una revolución que daba esperanza y una guerra civil con mucha violencia y devastación. Tenía una nueva perspectiva de la vida. Después de su tiempo en Nicaragua, Luisa no sabía si Rolando iba volver a Cuba o ir a Estados Unidos. Pero cuando Luisa volvió a la Habana, Rolando estaba en el aeropuerto esperándola. Resultó que Rolando no podía vivir sin Luisa y decidió volver a Cuba. Él siempre pensaba en Luisa.

Una noche ellos estaban caminando en el Malecón. Pasaron por el mismo lugar donde Rolando le había confesado su amor muchos años antes. Esta vez, era Luisa quien tenía una confesión. Ella le dijo:

—Rolando, quiero tener una familia.

Rolando estaba sorprendido y respondió sonriendo:

—Bueno, ¿con quién?

—¡Ay, Rolando, no seas tonto! Contigo, quiero casarme contigo.

Rolando la miró y le respondió:

—Entiendo, mi amor. Yo quiero lo mismo. Estoy listo... estamos listos.

Caminaron de la mano, escuchando el ritmo suave del mar. Rolando cantaba en voz baja, una canción de amor.

Pronto, Luisa y Rolando se casaron y tuvieron una hija. Se llamaba Natalia. Natalia era una chica linda y especial. Creció feliz en la Habana. Ellos vivían en un apartamento que era parte de una vieja mansión. La enorme casa fue dividida en seis apartamentos porque la familia que vivía allí había salido de Cuba después de la revolución. Rolando seguía tocando música y Luisa, después de unos años en casa, volvió a trabajar como doctora pediatra.

De niña Natalia jugaba con sus amigos en el parque, iba a sus lecciones de baile y asistía a la escuela. Natalia era inteligente como su mamá y tenía talento artístico como su padre. Aprendió a leer y escribir muy joven. Aprendió fácilmente ciencias y matemáticas también. Pero más que todo le gustaba bailar. Le encantaban los bailes folklóricos de Cuba, la salsa, la rumba y también el ballet formal.

Todo iba bien con la familia y Rolando trataba de no pensar en su sueño de vivir en Estados Unidos. Pero, algo pasó en 1991 que cambió Cuba y las vidas de los cubanos totalmente. El colapso de la Unión Soviética tuvo un impacto muy grande en Cuba. La Unión Soviética había ayudado a Cuba económicamente y con fuerza militar desde los principios de la revolución. Cuando la Unión Soviética colapsó, todo este apoyo desapareció* en un instante. De la noche a la mañana, una gran porción de la economía de Cuba desapareció.

Cuba estaba devastada. La economía estaba en ruinas y todos los cubanos tuvieron que adaptarse rápidamente. Literalmente, Cuba no tenía gasolina y el estrés de la situación puso mucha presión sobre todos los cubanos. La familia de Luisa no era la excepción. Luisa, como todo el mundo, tenía que caminar millas para llegar a su trabajo porque los autobuses y carros no tenían gasolina. No había suficiente comida ni en los mercados ni en las tiendas. Las industrias de Cuba ya no tenían suficientes materiales y hacía falta todo tipo de productos.

El gobierno de Cuba tuvo que abrir el país a la industria del turismo. Muchos turistas llegaban de Canadá, Europa y Latinoamérica para visitar las playas bonitas de Cuba. Sin embargo, la nueva industria trajo problemas también. La economía ahora tenía dos tipos de dinero, el peso nacional y el peso convertible. El peso convertible valía mucho más que el peso nacional. Las personas que trabajaban con turistas ganaban dinero en pesos convertibles y el resto de las personas ganaban pesos nacionales. Entonces, un mesero

---

*desapareció *disappeared*

en un restaurante y un chofer de taxi ganaba mucho más dinero que un doctor o un maestro.

Además, muchos cubanos que tenían familia en Estados Unidos recibían dinero de allí. Pero los cubanos que no tenían familia en Estados Unidos no recibían dinero. La desigualdad de salarios tuvo impactos grandes y negativos en la sociedad cubana. Muchos cubanos trataban de salir de Cuba en balsas, barcos improvisados que eran muy peligrosos. Fue el momento más difícil en la historia de la Revolución.

Capítulo 16
La frustración

Un día, al llegar a casa después de su clase de ballet, Natalia le dijo a su madre:

—¡Mamá! ¡Estoy cansada de caminar! ¿Cuándo van a empezar a correr los autobuses?

Su madre contestó:

—Ten paciencia mi amor. Las cosas se van a resolver*. Como dice Fidel, este es un Período Especial. Todos tenemos que hacer sacrificios.

Natalia respondió enojada:

—Siempre dices lo mismo, 'Ten paciencia, haz un sacrificio, es un Período Especial.' Pero mamá, mi escuela no tiene papel ni lápices y casi no tiene profesores porque muchos de ellos prefirieron ser taxistas o porteros* en los hoteles. Ganan más dinero trabajando con turistas. También necesito nuevos zapatos de baile pero sólo se venden en las tiendas de pesos con-

---

*se van a resolver *are going to be resolved*
*porteros *doormen*

vertibles.* Yo no tengo pesos convertibles. Y no voy a hacerme prostituta para ganarlos. ¡Además, hace tres meses que no comemos carne!

Tío Carlos estaba en la casa y estaba escuchando la conversación. Él interrumpió:

—Escucha, Natalia, ¿sabes qué? Los vegetarianos viven más tiempo.

—¡Ay, tío Carlos! —le dijo Natalia exasperada.

Carlos continuó:

—Es cierto. Un artículo en El Granma* dice que los vegetarianos viven más. Si quieres comer carne, vete a Estados Unidos y muérete de un ataque al corazón.

—¡Tío Carlos! ¡No seas absurdo! No quiero salir de Cuba aunque muchas personas están saliendo en balsas*. Pero si la vida en Cuba no mejora, voy a ir a Miami pronto —respondió Natalia.

Carlos dijo:

—Natalia, no digas tonterías. Tú sabes que Estados Unidos causó todos los problemas con el bloqueo*. Si no fuera por el bloqueo, Cuba tendría todo lo que necesitamos y más.

---

*pesos convertibles *the Cuban currency that is equal in value to the US dollar*
*El Granma *the Cuban state run newspaper*
*balsas *makeshift rafts*
*el bloqueo *the US trade embargo*

Natalia le preguntó a su madre:

—Mamá, ¿crees que el bloqueo está causando todos nuestros problemas?

Ella contestó:

—No sé si el bloqueo está causando todos los problemas pero sí sé que nos causa muchos problemas. También sé que tú y yo debemos todo lo que tenemos a la Revolución. Sin la Revolución, tú y yo trabajaríamos en los campos de caña de azúcar. Yo nunca habría podido asistir a la universidad para ser doctora.

—¡Así es! —exclamó Carlos. Él siempre se emocionaba cuando hablaban de la Revolución—. Cuando yo estaba en la Sierra Maestra con Che y tu padre...—

—¡Otra vez, con la Sierra Maestra! —interrumpió Natalia—. ¡Parece que todavía estás allí!

—No seas mala y escúchame. Cuando yo estaba en la Sierra Maestra con el comandante Ernesto 'Che' Guevara —Carlos miró la foto de Che que estaba sobre la mesa—, nosotros pasábamos días sin comer nada. Hacíamos muchos sacrificios porque sabíamos que era nuestra responsabilidad revolucionaria. Si moríamos, habría sido por una causa. Morir por una causa es una cosa buena y digna.

—Tío, entiendo que muchos hombres y mujeres murieron por liberarnos de Batista. Estoy agradecida por todos los sacrificios de mi papá, de mi abuelo y de

---

*ni para *not even*

ti. Pero ahora no tenemos ni para* las necesidades básicas. Tenemos doctores sin medicina, maestros sin libros y una población que está luchando para sobrevivir. ¿Tú crees que Che quería esto? Y también muchas personas han protestado en las calles y el gobierno ha arrestado a los manifestantes. ¡No hay libre expresión!

Rolando entró en la conversación y dijo firmemente:

—Es verdad, no hay libre expresión. Y esto no me gusta. Sin embargo, nadie se muere de hambre en Cuba.

Natalia contestó:

—Quizás no se muere pero la gente está pasando hambre. Desde que empezó el Período Especial, ¡no hemos tenido suficiente comida! —dijo Natalia.

—Aquí en Cuba nadie se muere de hambre. He viajado por todo el mundo dando conciertos de música. Tú crees que en países como Estados Unidos las calles son de oro, pero no es así. En Estados Unidos hay racismo, violencia, drogas y asesinos. Mucha gente pobre no tiene acceso a la salud adecuada ni a la educación universitaria y Estados Unidos es el país más rico del mundo. Ahora, imagínate cómo es en los países del tercer mundo.

Millones de personas alrededor del mundo sufren de hambre y mueren de enfermedades curables. Hay millones de niños que viven en las calles sin sus padres ni comida. Imagínate, Natalia, niños viviendo en las calles de Río de Janeiro, Santo Domingo, San

Salvador, Lima, Tegucigalpa y todos los países del tercer mundo. Estos niños sobreviven buscando comida en la basura —contestó Rolando.

—Bueno, papá, quizás sea así, pero yo no lo sé. ¡Yo no puedo viajar! Tú puedes ver el mundo porque eres el famoso Rolando Rodríguez. Tú puedes ir adonde quieras. Yo estoy cansada de estar aquí.

De repente una persona que vivía en otra parte de la casa le gritó:

—¡Natalia! Y yo estoy cansada de escuchar tus quejas. ¡Silencio por favor!

Natalia decidió no continuar el debate. Tío Carlos la abrazó y se fue para su casa. Rolando, Luisa y Natalia cenaron juntos, sin comer carne. Todos se durmieron temprano porque no había luz eléctrica.

Capítulo 17
Rebelión

Natalia, como todos los cubanos, estaba muy frustrada con la situación en Cuba durante el Período Especial. Ella quería un cambio radical para que Cuba fuera más libre y próspera. No sabía exactamente qué hacer pero sabía que tenía que tener cuidado. El gobierno cubano no permitía que se lo criticara. A menudo se decía que muchas personas que criticaban el gobierno eran aisladas, arrestadas y en algunos casos, asesinadas. También ella sentía mucha presión de su familia para no hacer nada en contra de la Revolución. Su tío Carlos y su madre Luisa eran muy fidelistas*.

Natalia fue a la casa de su amigo Daniel. Él era un artista que también estaba muy frustrado con las condiciones económicas y la represión política de los Castro. Natalia llegó a su casa y le dijo:

—Daniel, ¿cómo estás?

—Más o menos, ¿y tú?

---

*__fidelistas__ *supporters of Fidel and Raúl Castro*

Natalia respondió:

—No muy bien. Tengo problemas con mis padres. También estoy frustrada por todo lo que pasa.

—¿Qué vas a hacer? —le preguntó.

—No sé. Pero tengo que hacer algo. Mis padres no quieren hacer nada. Ellos dicen que el bloqueo de Estados Unidos es responsable de todos los problemas en Cuba.

—Natalia, estoy de acuerdo contigo. Yo también estoy frustrado por la falta de recursos económicos pero más que todo quiero expresarme sin miedo. Necesitamos un cambio radical. Necesitamos libertad —respondió Daniel en voz baja.

Al día siguiente, Daniel y Natalia buscaron pintura. Tuvieron que ir a tres tiendas para encontrarla. Casi no había pintura desde que empezó el Período Especial. En la noche, Natalia y Daniel salieron a la calle para hacer su propia rebelión. Caminaron durante un rato. Encontraron una pared con la frase "¡Viva la Revolución!" pintada en letras grandes.

Natalia y Daniel tenían miedo. Sabían que lo que iban a hacer era un crimen serio en Cuba. Si fueran capturados, podrían ser arrestados. Daniel sacó la pintura y Natalia vigilaba que no viniera la policía. Daniel trabajó rápidamente. Terminó en un minuto. Natalia y Daniel, sin perder tiempo, se fueron para sus casas. En realidad, Daniel no hizo mucho, pero su nuevo mensaje fue un ataque fuerte al gobierno. Solamente eliminaron la "R" en Revolución y ahora el

mensaje era "¡Viva la _evolución!"

En los días siguientes, los dos jóvenes trabajaron en secreto cambiando muchos mensajes revolucionarios de forma similar. Cada vez que cambiaban un mensaje, se sentían más libres. Sin embargo, ahora tenían que tener mucho más cuidado porque la policía estaba buscándolos.

Un día cuando Daniel estaba pintando, de repente llegó la policía. Natalia le gritó:

—¡Corre!

Pero fue tarde. La policía agarró a Daniel y lo arrestaron.

Daniel gritó:

—¡Corre tú!

Natalia quería ayudarlo pero tuvo que escapar. Ella corrió y la policía no la capturó.

Al día siguiente Natalia no sabía qué hacer. No quería decirles a sus padres lo que había pasado. Tenía mucho miedo. Se sentía terrible por correr de la policía cuando Daniel era capturado. Ella fue a la casa de Daniel. La madre de Daniel estaba muy preocupada. Natalia le dijo la verdad. Ella tenía mucho miedo. La madre de Daniel fue a la estación de policía y preguntó si Daniel estaba allí. La policía dijo que no tenía información sobre Daniel. Ella estaba muy nerviosa y no sabía cuándo iba a ver a su hijo.

Natalia se sentía muy preocupada y tenía mucho miedo. Había participado en los grafitis con Daniel. Pensaba que la policía podría arrestarla a ella también. Sin embargo, Natalia tenía que hacer algo para ayudar a su amigo. Fue a una reunión con un grupo que se llamaba Las Damas de Blanco. Cuando llegó a la reunión, ella dijo:

—Hola, necesito ayuda. Mi amigo fue capturado por la policía política.

Una mujer le dijo:

—Entiendo. Vamos a tratar de ayudarte.

La mujer era Rigoberta Solero, la líder de Las Damas de Blanco, una organización para los derechos humanos en Cuba. Ella le dijo a Natalia que iban a ir a la plaza para protestar en contra de la represión política en Cuba. Natalia dijo:

—Yo quiero ir también. Quiero que liberen a mi amigo de la prisión.

Rigoberta le respondió en tono serio:

—Las protestas no son fáciles. La policía siempre viene. Nosotras somos pacíficas pero la policía usa violencia para parar las protestas. ¿Estás preparada para esto?

Natalia respondió:

—Estoy preparada. Quiero luchar por la libertad de Daniel y los otros prisioneros políticos.

Rigoberta la abrazó y le dijo:

—Gracias, Natalia. Juntas podemos.

CAPÍTULO 18
El encuentro

Los años pasaron y José estaba contento con su vida en Estados Unidos. De hecho, ya era ciudadano. Sus hijos habían crecido y tenían carreras exitosas. Sin embargo, José nunca se olvidó de su familia en Cuba. Su vida en Cuba siempre estaba en su corazón. Él había pensado mucho en lo que le había dicho su esposa: que la política no debe dividir a las familias. Entonces, un día él decidió volver a Cuba.

En el avión, José y Julie se sentaron al lado de una mujer. Ella estaba nerviosa. José le dijo:

—Hola, ¿cómo estás?

Ella respondió:

—Hola, estoy nerviosa. Salí de Cuba porque no podía vivir más bajo la dictadura de los Castro. Ahora voy a ver a mi familia por primera vez en diez años.

José le respondió:

—Buena suerte. Yo voy a ver a mis tíos y mi vieja casa. Estoy nervioso también.

—Gracias. Buena suerte también.

José sintió muchas emociones en el avión. El corazón le palpitaba fuertemente y le sudaba la mano cuando tomó la mano de Julie.

El avión aterrizó en la Habana. Por fin, José había regresado a Cuba.

*****

Luisa se despertó con el quiquiriquí del gallo. El sol brillaba fuertemente y ella entró en la cocina de la vieja mansión que ahora era la casa de seis familias. Preparó su desayuno de pan y leche. La foto vieja de Che estaba en la pared sobre la mesa. Natalia ya no vivía en Cuba. Después de que Daniel salió de la prisión, Natalia salió de Cuba para vivir en Miami. Ella no se comunicaba mucho con sus padres. La relación era tensa.

Rolando entró en la casa y dijo con un tono curioso:

—Luisa, ¿sabes que hay dos turistas afuera mirando la casa?

—¿Qué? ¿Quiénes son? —le dijo Luisa.

—No sé. Vamos a preguntarles —respondió Rolando.

Luisa y Rolando salieron de la casa para hablar con los turistas. Rolando les dijo en su acento cubano:

—*Hello. Can I help you?*

—Buenos días —respondió el hombre en español—. ¿Viven ustedes aquí?

—Pues, sí, —le contestó Luisa—. ¿En qué les podemos servir*?

—Me llamo José Santos. Esta era la casa de mi familia antes de la revolución. Me gustaría ver la casa y conocer a la gente que vive aquí ahora. Esta es mi esposa, Julie. Con su permiso, ¿podemos ver la casa?

—Sí, ustedes pueden ver la casa. Pero no es bonita como antes.

Todos entraron y empezaron a caminar por la casa. La casa era muy diferente. Cuando el gobierno dividió la casa en seis apartamentos, no tenía materiales suficientes para hacerlo de buena calidad. Había paredes improvisadas y una escalera afuera.

Luisa y José se sentaron a la mesa para hablar mientras Julie tomaba fotos y hablaba con otra señora que vivía en la casa y era maestra de inglés. Luisa le preguntó a José:

—¿Qué piensas de la casa?

José trató de ser diplomático:

—Pues, está muy diferente.

Luisa interrumpió:

—Entiendo. La casa está en mala condición.

José respondió:

—Pero es evidente que las familias que viven aquí son muy buenas. Eso es lo más importante.

Luisa contestó:

---

*¿**En que les podemos servir?** *How can we help you?*

—Gracias, usted es muy amable.

José vio que las líneas que su madre había dibujado para marcar su altura todavía estaban en la pared. Pero vio otras líneas también. José le preguntó a Luisa:

—Aquí veo las líneas que hizo mi madre para marcar mi altura. ¿Por qué nunca las quitaste? ¿Y de quién son estas líneas nuevas?

Luisa le contestó:

—Estas líneas nuevas son de la altura de mi hija —Luisa respiró profundamente porque no quería llorar—. Yo nunca quité las otras líneas porque son parte de la historia de la casa. Creo que uno no debe borrar la historia. ¿Julie y usted tienen hijos?

—Sí, tenemos seis hijos y nueve nietos —respondió José sonriendo.

—¡Seis hijos! ¡Qué bueno! —exclamó Luisa.

—Gracias a Dios todos tienen carreras exitosas y familias saludables.

—¡Qué maravilloso! —le contestó Luisa.

—Gracias, ¿cómo se llama su hija? —dijo José.

Luisa contestó:

—Se llama Natalia —Luisa se puso triste. —Ella ya no vive en Cuba. Salió para vivir en Miami hace diez años.

José respondió:

—Lo siento. Muchas familias cubanas están separadas. Es muy difícil. En el avión yo conocí a una mujer que pasó diez años sin ver a su familia.

En este momento escucharon una voz.

—¿Mamá, papá, están aquí?

Luisa respondió:

—¡¿Natalia?! ¿Qué? ¿Eres tú? ¿Estás aquí?

Luisa y Rolando corrieron hacia su hija y todos se abrazaron fuertemente.

Natalia estaba muy emocionada de ver a sus padres. Todos lloraron de alegría mientras hablaban de sus vidas. Rolando sacó su guitarra y todos cantaron la canción Guantanamera. Estuvieron felices por un momento. Por un momento José estaba en su casa y las familias estaban unidas. Ellos hablaron todo el día y hasta la noche. La historia de la casa, las dos familias y Cuba misma continuaban construyéndose.

Epílogo

Hoy en día, la relación entre los gobiernos de Cuba y Estados Unidos está cambiando. En Cuba este momento se llama el deshielo*. El deshielo empezó el 17 de diciembre de 2014 cuando el Presidente de Estados Unidos, Barack Obama, reestableció relaciones diplomáticas con Cuba. Ahora es más fácil para los norteamericanos viajar a Cuba y mandar dinero a Cuba. Además Obama permitió que las compañías de telecomunicaciones establecieran la infraestructura necesaria para mejorar telecomunicaciones comerciales y servicios de Internet en Cuba.

En marzo de 2016 el presidente Barack Obama fue el primer presidente norteamericano en visitar Cuba en noventa años. Él habló con el presidente cubano, Raúl Castro y también con activistas anticastristas. Además, jugadores cubanos de béisbol de las grandes ligas volvieron a Cuba para hacer una clínica deportiva para jóvenes cubanos. Antes del deshielo, estos jugadores fueron considerados traidores a la Revolu-

---

*deshielo *thawing (warming of Cuban/U.S. relations)*

ción y ahora se consideran héroes nacionales.

Sin embargo, el embargo comercial que tiene Estados Unidos continúa hasta ahora y el gobierno cubano continúa una política de represión política y censura. Nadie sabe exactamente cómo los cambios del deshielo vayan a afectar a las vidas de los cubanos. Es importante tratar de entender todas las perspectivas de una situación y aprender de la nueva época en la historia de estos dos países.

Glosario

a *to*
a causa de *because of*
a punto de *about to be*
abandonar *to abandon*
abiertas *open*
abolida *abolished*
abordar *to board*
abrazar *to embrace, hug*
abrazo *a hug*
abril *April*
abrir *to open*
abruptamente *abruptly*
absurdo *absurd*
abuelo *grandfather*
abuso *abuse*
acabar, acabar de *to finish, to have just finished*
acceso *access*
acción *action*
acento *accent*
aceptados *accepted*
aceptar *to accept*
acercarse *to approach*
acompañar *to accompany*
actitud *attitude*
actividad *activity*

activistas *activists*
acto *act*
actuar *to act*
acuerdo *agreement*
adaptarse *to adapt*
adecuado *adequate*
adelante *forward*
además *in addition*
adiós *goodbye*
admiración *admiration*
adónde *to where*
adversidad *adversity*
aeropuerto *airport*
afectar *to affect*
afrocubana *Afro-Cuban*
afuera *outside*
agarrar *to get, grab*
agente *agent*
agotado *exhausted*
agradecido *thankful*
agricultores *farmers*
agua *water*
ahora *now*
aire *air*
aisladas *isolated*
al *to the*

al lado de *beside*
alegre *joy*
alfabetización *literacy*
algo *something*
alguien *someone*
algún, alguna, algunos *some*
allí *there*
almas *souls*
alrededor *around*
alta *tall, high*
alturas *heights*
amanecer *sunrise, morning*
amar *to love*
ambicioso *ambitious*
amenazante *threatening*
amigos *friends*
amistoso *friendly*
amo *master*
amor *love (noun)*
analfabetismo *illiteracy*
año *year*
anoche *last night*
antes *before*
antipático *mean*
apartamento *apartment*
aplaudir *to applaud*
apoyar *to support*
aprehensión *apprehension*
aprender *to learn*

aproximadamente *approximately*
apurarse *to hurry up*
aquel entonces *those days*
armadura *armor*
armas *weapons*
arquitectura *architecture*
arreglar *to fix*
arrestar *to arrest*
arriba *up, above*
arroz *rice*
artista *artist*
ascensos *promotions*
asegurar *to assure*
ansiedades *worries, anxieties*
asesinos *killers, murders*
así *like this*
asistente *assistant*
asistir *to attend*
artístico *artistic*
atacar *attack*
ataque *attack*
atención *attention*
aterrizar *to land a plane*
atender *to attend to*
aun *even*
aunque *even though*
autobús *bus*
autor *author*

autoritaria *authoritarian*

avanzar *to advance*

avión *airplane*

ayudar *to help*

azúcar *sugar*

bahía *bay*

bailar *to dance*

bajar *to go down, take down*

bajo *under*

banda *band*

bandera *flag*

baño *bathroom*

barcos *ships*

batalla *battle*

batey *sugar cane cutter peasant community*

bateyes *indigenous towns*

bebé *baby*

beber *to drink*

bebida *a drink*

béisbol *baseball*

Belén *Bethlehem*

bella *beautiful*

beso *a kiss*

bien *well*

bienvenida *welcome*

biología *biology*

blancas *white*

bloqueo *blockade*

bohíos *small country dwellings*

boletín *bulletin*

bomba *bomb*

bonita *pretty*

borrar *to erase*

brazo *arm*

breve *brief*

brillante *shiny, brilliant*

brillar *to shine*

brisa *breeze*

bruscamente *brusquely*

brutales *brutal*

buen, buena, bueno *good*

burlarse *to make fun of*

buscar *to look for*

caballo *horse*

cabeza *head*

cacique *indigenous chief*

cada *each, every*

caer, caerse *to fall*

café *coffee*

calidad *quality*

caliente *hot*

calle *street*

calma *calm*

calor *heat*

cama *bed*

cambiar *to change*

camión *truck*

camisa *shirt*

campamento *camp*

campaña *campaign*
campesinos *peasants*
campos *fields*
caña *cane*
cancelar *to cancel*
canción *song*
cañita *little cane*
cansado *tired*
cantante *singer*
cantar *to sing*
cantidades *quantities*
caos *chaos*
capturado *captured*
capturar *capture*
cara *face*
carácter *character (personal qualities)*
cárcel *jail*
Caribe *the Caribbean Sea*
caribeño *Caribbean*
carne *meat*
carreras *races, course of study in college*
carreta *ox cart*
carros *cars*
carta *letter*
cartón *cardboard*
casa *house*
casabe *cassava*
casarse *to get married*

cascos *helmets*
casi *almost*
casita *little house*
casos *cases*
católica *catholic*
causar *to cause*
celebrar *to celebrate*
cena *dinner*
cenar *to have dinner*
censura *censorship*
censurar *to censure*
centro *center, down town*
cerámica *ceramics*
cerca *close*
carisma *charisma*
chico *boy*
chiste *joke*
chófer *driver*
choque *crash*
ciegas *blind*
cielo *heaven, sky*
ciencias *science*
ciento *hundred*
cierto *true*
cinco *five*
cincuenta *fifty*
círculos *circles*
circunstancias *circumstances*
Ciruela *plum*
cita *date*

ciudad *city*

ciudadano *citizen*

clandestinamente *secretly*

clase *class*

clínica *clinic*

cochino *pig*

cocina *kitchen*

codicia *greed*

cola *line, pony tail, tail*

colaboración *collaboration*

colapso *collapse*

colegio *high school*

colonia *colony*

colonizadores *colonizers*

colonos *colonists*

columna *column (of troops)*

comandante *commander*

combate *combat*

combatir *to combat*

comedor *dinning room*

comentar *to comment*

comentario *a comment*

comer *to eat*

comercial *relating to business*

cometer *to commit*

comida *food*

como *like, as*

cómoda *comfortable*

compañera (o) *friend, comrade, partner*

compañías *companies*

compartir *to share*

comprar *to buy*

comprender *to understand*

comprensible *understandable*

comsumía *consumed*

comunicar *to communicate*

comunidad *community*

comunismo *communism*

comunista *communist*

con *with*

concentrarse *to concentrate*

concierto *concert*

condenar *to condemn*

condiciones *conditions*

conexiones *connections*

confesado *confessed*

confianza *trust, confidence*

confirmar *to confirm*

conflicto *conflict*

confundida *confused*

conmigo *with me*

conocer *to know, meet a person*

consciente *conscious*

conseguido *gotten*

conseguir *to get, obtain*

conservar *preserve*

considerar *to consider*

consolidar *to consolidate*

contacto *contact*

contar *to tell*
content *happy*
contestar *to answer*
contigo *with you*
continente *continent*
continuar *to continue*
contra *against*
contrarevolución *counter revolution*
contribuir *to contribute*
controlar *to control*
construir *to build*
conversación *conversation*
convertible *convertible*
convertida *converted*
convertir *to convert*
conviene *is convenient*
copa *cup*
corazón *heart*
correr *to run*
corona *crown*
corridor *hallway*
cortando *cutting*
cortar *to cut*
cortes *cuts*
cosa *thing*
cosecha *harvest*
cosechar *to harvest*
crear *to create*
crecer *to grow*

crecimiento *growth*
creer *to believe*
crimen *crime*
cristianos *Christians*
Cristóbal Colón *Christopher Columbus*
criticar *to criticize*
crueles *cruel*
cruzar *to cross*
cuadras *squares*
cualquier *any*
cuando *when*
cuánto *how much*
cuarto *room*
cuatro *four*
cubrir *to cover*
cuenta *account*
cuento *story*
cuerpo *body*
cuesta *costs*
cuidado *careful*
cuidar *take care of*
cultivar *to grow*
cultivo *cultivation*
cultura *culture*
cumplida *accomplished*
cumplir *to accomplish, complete*
curables *curable*
curiosidad *curiosity*
curioso *curious*

damas *ladies*
dar *to give*
de *of*
de hecho *in fact*
de repente *suddenly*
debajo *under*
debate *debate*
deber *should*
décadas *decades*
decidir *to decide*
decir *to say*
declarar *to declare*
dedicar *to dedicate*
defender *to defend*
defendían *they defended*
definitivo *definitive*
deshielo *thawing*
dejar *to leave behind*
del *of the*
delegación *delegation*
deliciosa *delicious*
demás *others*
democracia *democracy*
densa *dense*
deplorables *deplorable*
deportista *athlete*
derecho *right, straight ahead*
derrotar *defeat*
desafortunadamente
unfortunately

desaparecer *to disappear*
desarrollar *to develop*
desayuno *breakfast*
descalza *barefoot*
descansar *to rest*
descubrir *to discover*
desde *from*
desesperadamente *desperately*
desgarradoras *heartbreaking*
desigualidad *inequality*
despertar *to wake up*
despertado *awake*
despertar *to wake up*
después *after*
destrozada *defeated*
destruir *to defeat*
detalles *details*
determinación *determination*
detrás *behind*
devastación *devastation*
devastada *devastated*
día *day*
dibujado *drawn*
dicho *said*
dictador *dictator*
diecisiete *seventeen*
diferente *different*
difícil *difficult*
dificultad *difficult*
digna *dignified*

dinero *money*
Dios *God*
diplomático *diplomatic*
dirección *address*
dirigir *to direct, run (a business)*
discurso *speech*
disgusto *disgust*
disparar *to shoot*
distancia *distance*
dividida *divided*
dividir *to divide*
doble *double*
doctor *doctor*
dólar *dollar*
doler *to hurt, have pain*
dolor *pain*
doméstica *domestic*
domingo *Sunday*
Don *a term of respect like Mr. but used before the first name.*
donde *where*
dormir *to sleep*
dormitorio *bedroom*
dramáticamente *dramatically*
drásticamente *drastically*
drogas *drugs*
dudas *doubts*
duele *hurts*
dueño *owner*

dulce *sweet*
durante *during*
durar *to last*
duras *hard*
e *and*
echar *to toss*
economía *economy*
económicamente *economically*
económicos *economic*
educación *education*
educada *educated*
ejecuciones *executions*
ejemplo *example*
ejército *army*
él *he*
el *the*
eléctrica *electric*
elementos *elements*
eliminar *to eliminate*
élites *elite*
ella *she*
emigrar *to emigrate*
emoción *emotion*
emocionada *excited*
empacar *to pack*
empezar *to begin*
empleadas *employees*
empleadas domésticas *domestic servants*
empujado *pushed*

empujar *to push*

en *in*

en cambio *on the other hand*

en vez de *instead of*

enamorarse *to fall in love*

encabezar *to head, lead*

encantar *to really like*

encima *above*

encontrar *to find*

enemigo *enemy*

energía *energy*

enero *January*

enferma *sick*

enfermedades *illnesses*

enfermera *nurse*

enojada *angry*

enojo *anger*

enseñándole *teaching him*

enseñar *to teach*

entender *to understand*

entera *entire*

entonces *then, so*

entrar *to enter*

entre *between*

entrenar *to train*

entusiasmo *enthusiasm*

época *time period*

equipo *team*

escalera *stairs*

escapar *to escape*

esclavitud *slavery*

esclavos *slaves*

escribir *to write*

escuadrón *squad*

escuchar *to listen*

escudos *shields*

escuela *school*

ese, eso, esa *that*

esfuerzos *efforts*

espacio *space*

espalda *back*

español *Spanish*

especial *special*

esperar *to waits*

esperanza *hope*

esperar *to wait, hope*

espía *spy*

espionaje *espionage*

espíritu *spirit*

esposa *wife*

establecer *to establish*

estación *station, season*

estado *state*

Estados Unidos *The United States of America*

estar *to be*

estómago *stomach*

estrellas *stars*

estrés *stress*

estudiante *student*

estudiantil *of students*
estudiar *to study*
estufa *stove*
estúpido *stupid*
eternidad *eternity*
euforia *euphoria*
evidente *evident*
exactamente *exactly*
exasperada *exasperated*
excelente *excellent*
excepción *exception*
exceso *excess*
exclamar *to exclaim*
existir *to exist*
exitoso *successful*
experiencia *experience*
explicar *to explain*
explosión *explosion*
explotar *to explode, exploit*
expulsar *to expel*
exportaciones *exports*
exportadores *exporters*
expresar *to express*
expresión *expression*
exterminar *to exterminate*
extranjeras *foreign*
extraño *strange*
fábrica *factory*
fácil *easy*
falta *lack*

fama *fame*
familia *family*
famosamente *famously*
famoso *famous*
favorecía *favored*
favorito *favorite*
felicidad *happiness*
felices *happy*
felicitar *to congratulate*
feliz *happy*
femenino *feminine*
feroces *fierce*
ferocidad *ferocity*
ferozmente *ferociously*
festival *festival*
fiesta *party*
fin *end*
financiar *to finance*
firmemente *firmly*
flaca *thin*
forma *form*
formal *formal*
forzado *forced*
forzar *to force*
foto *photo*
frase *sentence, phrase*
frente *front*
frijoles *beans*
frío *cold*
frustrada *frustrated*

fruta *fruit*
fue *s/he went*
fuego *fire*
fuera *outside*
fueron *they were, they went*
fuerte *strong*
fuertes *strong*
fuerza *strength*
fuerzas *forces*
Fulgencio Batista *Cuban dictator until 1959*
fundamentos *fundamentals*
furiosamente *furiously*
futuro *future*
gallo *rooster*
ganado *won*
ganar *to win*
ganas *desire*
gasolina *gasoline*
general *general*
generalmente *generally*
generoso *generously*
genocidio *genocide*
gente *people*
geografía *geography*
gobernar *to govern*
gobierno *government*
golpear *to hit*
gozar *to enjoy*
gracias *thank you*

grado *grade*
graduado *graduated*
graduar *to graduate*
gran *great, large*
grande *big*
gratuita *free*
grave *serious, grave*
gritar *to yell*
grupo *group*
guardia *guard*
guerra *war*
guerreros *warriors*
guerrilla *guerilla warfare*
guerrilleros *guerilla fighters*
guiado *guided*
guitarra *guitar*
gustaba *liked*
gustar *to like*
gusto, (mucho gusto) *nice to meet you*
Habana *Havana, the capital of Cuba*
había dibujado *had drawn*
habían despertado *had woken*
habitación *bedroom*
habitantes *inhabitants*
hablar *to speak, talk*
hacer *to make, to do*
hachas *hatchets*
hacia *toward*

hamacas *hammocks*
hambre *hunger*
hasta *until*
Hatuey *an indigenous leader who fought the Spanish colonists in the 1500s*
hecha de *made of*
herido *injury*
hermanita *little sister*
hermano *brother*
hermanos *siblings*
héroe *hero*
hija *daughter*
hijos *children, sons*
historia *history*
hogar *home*
hoguera *fire*
hoja *leaf, sheet of paper*
hombre *man*
honestidad *honesty*
honrado *honored*
hora *hour*
hospital *hospital*
hospitalidad *hospitality*
hotel *hotel*
hoy *today*
hoy en día *these days*
huésped *guest*
huir *to flee*
humanos *humans*

humilde *humble*
humor *humor*
idioma *language*
idiota *idiot*
ignoranica *ignorance*
iguales *the same*
iluminar *to illuminate*
imaginar *to imagine*
impactada *impacted*
impacto *impact*
imperialismo *imperialism*
imperio *empire*
implementar *to implement*
importancia *importance*
importante *important*
importar *to import*
impresionado *impressed*
impresionante *impressive*
improvisar *to improvise*
inicial *initial*
incierto *unsure*
incómodamente *uncomfortable*
increíbles *incredible*
independencia *independence*
independiente *independent*
indicar *to indicate*
indígena *indigenous*
individuo *individual*
industria *industry*
infierno *hell*

infiltrado *infiltrated*
influyentes *influential*
información *information*
informar *to inform*
infraestructura *infrastructure*
inglés *English*
ingresos *income*
injusticia *injustice*
injusto *unjust*
inmediatamente *immediately*
inmediato *immediately*
inmigrantes *immigrants*
insectos *insects*
inspirar *to inspire*
instantáneamente
instantaneously
instante *instant*
instrucciones *instructions*
instrumentos *instruments*
inteligencia *intelligence*
inteligente *intelligent*
intensidad *intensity*
intenso *intense*
interceptar *to intercept*
interés *interest*
interesados *interested*
interesante *interesting*
intereses *interests*
internacional *international*
interrogar *to interrogate*

interrumpir *to interrupt*
intervención *intervention*
invasión *invasion*
investigar *to investigate*
invisible *invisible*
invitar *to invite*
inyección *injection*
isla *island*
jamón *ham*
jefe *boss*
Jesucristo *Jesus Christ*
Jesuita *Jesuit*
joven *young person*
jugar *to play*
julio *July*
juntando *coming together*
juntarse *to come together*
junto, juntos, juntas *together*
justo *fair, just*
labor *labor*
lado *side*
lágrima *tear*
lanzas *spears*
lápices *pencils*
largo *long*
las *the*
lavar *to wash*
le *to him/her*
lecciones *lessons*
leche *milk*

lectura *reading*
leer *to read*
legislación *legislation*
lejos *far away*
lentamente *slowly*
les *to them*
letras *letters*
letreros *signs*
levantar *to lift or raise*
levantarse *to get up*
liberación *liberation*
liberar *to liberate*
libertad *freedom*
libre *free*
libremente *freely*
libro *book*
licencia *license*
líder *leader*
limpia *clean*
limpiar *to clean*
linda *pretty*
líneas *lines*
lista (o) *ready, smart*
literalmente *literally*
llamar *to call*
llamas *flames*
llegada *arrival*
llegar *to arrive*
llenar *to fill*
llevar *to take, carry, wear*

llorar *to cry*
lluvias *rains*
lo *him, it*
lo poco *the little*
loco *crazy, crazy person*
logrado *achieved*
lograr *to achieve*
luchado *fought*
luchar *to fight*
luego *then*
lugar *place*
lujosa *luxurious*
luna *moon*
luz *light*
macanas *clubs*
machete *long knife used to cut sugarcane*
madera *wood*
madre *mother*
madurar *to mature*
maestra *teacher*
maestría *masters degree*
maíz *corn*
mal *bad*
mañana *morning, tomorrow*
mandado *sent*
mandar *to send*
manejar *to drive*
manera *way*
manifestantes *protesters*

mano *hand*
mansión *mansion*
mantener *to maintain*
mantequilla *butter*
mar *sea*
maravilloso *marvelous*
marcar *to mark*
marchar *to march*
marzo *March*
más *more*
masacres *massacres*
matar *to kill*
matemáticas *mathematics*
materiales *materials*
mayor *older*
me *me*
media *half*
medianoche *midnight*
médica *related to medicine*
medicina *medicine*
médico *doctor*
medio *half*
mejor *better*
mejorar *to improve*
mejores *the best*
melodía *melody*
memoria *memory*
mencionar *to mention*
menos *less*
mensaje *message*

menudo *frequently*
mercado *market*
mesa *table*
mesero *waiter*
meses *months*
meta *goal*
metal *metal*
mi *my*
mía *mine*
miedo *fear*
miel *honey*
miembros *members*
mientras (tanto) *meanwhile*
miles *thousands*
militar *of the military, soldier*
millas *miles*
millón *million*
mina *mine*
ministerio *ministry*
minuto *minute*
mirar *to watch*
mis *my*
misa *Catholic mass*
misiles *missiles*
misión *mission*
mismo *same*
mochila *backpack*
moderno *modern*
molinos *mills*
momento *moment*

montado *mounted*
montañas *mountains*
montar *to mount*
morfina *morphine*
morir *to die*
motocicleta *motorcycle*
mover *to move*
movilización *mobilization*
movimientos *movements*
muerte *death*
muerto *dead*
mujeres *women*
multa *fine, ticket, fee*
mundial *world wide*
mundo *world*
muñeca *doll*
municiones *ammunition*
música *music*
muy *very*
nacional *national*
nacionalizar *to nationalize*
nada *nothing*
nadie *nobody*
navidad *Christmas*
necesario *necessary*
necesidad *necessity*
necesitar *to need*
negativos *negative*
negocio *business*
negras *black*

nerviosa *nervous*
ni *not one, nor*
ni siquiera *didn't even, not even*
nicaragüenses *Nicaraguan*
nietos *grandchildren*
niña *girl*
ninguna *not any, not one*
niños *children*
nivel *level*
noche *night*
normal *normal*
norte *north*
norteamericanos *term used in Latin America meaning American from the United States of America.*
nos *us*
nosotros *we*
notar *to note*
noticias *news*
noventa *ninety*
novia (o) *girlfriend, boyfriend*
nuestra *our*
nueva (o) *new*
nunca *never*
o *or*
ocho *eight*
octubre *October*
ocupación *occupation*

ocupadas *busy*
ocurrir *to happen, occur*
oeste *west*
oficial *official*
ofrecer *to offer*
ojalá *I wish, hope, God willing*
ojos *eyes*
olor *smell*
olvidar *to forget*
opción *option*
oportunidad *opportunity*
opresivo *oppressive*
oprimido *oppressed*
opulencia *opulence*
oración *sentence*
ordenar *to order*
organización *organization*
organizarse *to organize*
orgullo *pride*
orgulloso *proud*
oriente *east*
oro *gold*
oscuridad *darkness*
otro *other*
oye *hears*
paciencia *patience*
pacíficas *peaceful*
padre *father*
padres *parents*
pagar *to pay*

página *page*
país *country*
paja *straw*
palabras *words*
palpitar *to beat*
pan *bread*
pánico *panic*
papá *dad*
papel *paper*
para *for, in order to*
paranoico *paranoid*
parar *to stop*
parecer *to seem*
pared *wall*
parque *park*
parte *part*
participar *to participate*
pasar *to happen, spend time*
pascua *Easter*
pasillo *hallway*
pasión *passion*
pasos *steps*
patria *fatherland, homeland*
patrón *boss*
pausa *pause*
paz *peace*
pediatra *pediatrics*
pedir *to ask for*
pegar *to hit*
películas *movies*

peligroso *dangerous*
pelo *hair*
pensar *to think*
pensativo *pensive*
peor *worse*
pequeñas *small*
perder *to lose*
perdiendo *wasting*
perezoso *lazy person*
periódico *newspaper*
período *period*
permiso *permission*
permitir *to permit*
pero *but*
personalmente *personally*
perros rastreadores *hunting dogs*
perseguían *pursued*
persona *person*
personal *personal*
personalidad *personality*
perspectiva *perspective*
pertenecer *to belong to*
pertenecían *they belonged*
peso *denomination of money*
petróleo *petroleum*
piedra *stone*
pila *pile, bunch*
piloto *pilot*
pintar *to paint*

pintura *painting*
pistola *pistol*
pizarra *board*
placer *pleasure*
plan *plan*
plátanos *bananas, plantains*
platos *plates*
playas *beaches*
plaza *courtyard*
población *population*
poblada *populated*
pobres *poor*
pobreza *poverty*
poco *little*
poder *to be able to*
poéticas *poetic*
policía *police*
política *political*
poner *to put*
por *for, because of*
por eso *that's why*
por fin *finally*
por medio de *by way of*
por supuesto *of course*
porción *portion*
porque *because*
porteros *doormen*
posesiones *possessions*
posible *possible*
posición *position*

posicionar *to position*
positiva *positive*
practicar *to practice*
precio *price*
precisión *precision*
pre-colombinos *pre-Columbian*
pre coloniales *pre colonial*
preferible *preferable*
preferir *to prefer*
preguntar *to ask*
preocupación *worry*
preocuparse *to worry*
preparando *preparing*
preparar *to prepare*
prepararse *to prepare oneself*
presentación *presentation*
presentar *to present*
presidente *president*
presión *pressure*
prestigioso *prestigious*
prevenir *to prevent*
primaria *primary*
primer(a) *first*
primo *cousin*
principal *main, principal*
principio *beginning*
prioridad *priority*
prisión *prison*
prisioneros *prisoners*

privada (o) *private*
privilegio *privilege*
problemas *problems*
procesada *processed*
productos *products*
profesional *professional*
profesores *professors*
profunda *profound*
programa *program*
promesa *promise*
promover *to promote*
pronto *soon*
propios *own*
próspera *prosperous*
prosperar *to prosper*
prosperó *prospered*
prostituta *prostitute*
proteger *to protect*
protestar *to protest*
proveer *to provide*
provincia *province*
provocar *to provoke*
próximos *next*
público *public*
pueblos *small towns*
puerta *door*
pues *well*
puesto *stall, counter*
punto *point*
pupitre *desk*

puro *pure*
que *that*
quebrada *ravine*
quedar, quedarse *to stay, remain*
quemar *to burn*
querer *to want*
queso *cheese*
quién *who*
química *chemical, chemistry*
quince *fifteen*
quiquiriquí *cock-a-doodle-do*
quitar *to remove*
quizás *maybe*
radical *radical*
rango *rank*
rápidamente *fast*
raro *rare, strange*
razón *reason*
reaccionar *to react*
realidad *reality*
realizar *to complete*
rebelde *rebel*
rebelión *rebellion*
rechazar *to reject*
recibir *to receive*
recoger *to collect*
reconocer *to recognize*
recordar *to remember*
restablecer *reestablish*

reflexión *reflection*
refrigerador *refrigerator*
régimen *regime*
regresar *to return*
reírse *to laugh*
relación *relationship*
relajada *relaxed*
religión *religion*
rendirse *to give up*
representar *to represent*
represión *repression*
residencia *residence*
resignarse *to resign oneself*
resistencia *resistance*
resolver *to resolve*
respeto *respect*
respirar *to breath*
responder *to respond*
responsabilidad *responsibility*
resto *rest*
resultado *result*
resultar *to result*
resurrección *resurrection*
retirar *to move away from*
reunión *meeting*
reunir *to meet*
revelar *to reveal*
revisar *to review*
revolución *revolution*
revolucionaria *revolutionary*

reyes *kings*
rezar *to pray*
rico *rich*
ridículo *ridiculous*
riesgo *risk*
rifles *rifles*
río *river*
riqueza *riches*
ritmo *rhythm*
robar *to steal*
roja *red*
ropa *clothing*
rueda *wheel*
ruinas *ruins*
rumba *Afro-Cuban dance*
rurales *rural*
rústica *rustic*
ruta *route*
sábado *Saturday*
saber *to know*
sacar *to take out*
sacerdote *priest*
sacrificio *sacrifice*
sala *living room*
salarios *salary*
salir *to leave*
salsa *Latin dance music*
salud *health*
salvar *to save*
sangrar *to bleed*

sangre *blood*
sangrienta *bloody*
santo *saint*
sargento *sergeant*
sección *section*
secreto *secret*
sed *thirst*
seguir *to follow, continue*
según *according to*
segundo *second*
seguras *safe*
seguridad *security*
seguro *safe*
seis *six*
semana *week*
semestre *semester*
señor *mister*
sentarse *to sit down*
sentir *to feel*
sentirse *to feel*
separarse *to separate*
ser *to be*
seriamente *seriously*
serio *serious*
servicio *service*
servidumbre *servitude*
servir *to serve*
sexto *sixth*
si *if*
siempre *always*

sierra *mountain range*
siete *seven*
siglo *century*
sigue *follows, continues*
siguiente *following*
silencio *silence*
simpático *nice*
sin *without*
sin embargo *however*
sincera *sincere*
sino *rather*
sistema *system*
situación *situation*
sobre *about*
sobrevivir *to survive*
social *social*
socialismo *socialism*
sociedad *society*
sofocar *to suffocate*
sol *sun*
sol a sol *all day and night*
solamente *only*
solas *alone*
soldado *soldier*
soltero *single*
solo *alone*
sólo *only*
soñar *to dream*
sonido *sound*
sonreír *to smile*

sonrisa *a smile*
sorprende *surprises*
sorprendido *surprised*
sorpresa *surprise*
su *his/her*
suave *smooth*
suavemente *smoothly*
subir *to go up, get in a vehicle*
submarino *submarine*
sucio *filthy*
sudar *to sweat*
suelo *floor*
sueño *dream*
suerte *luck*
suficiente *sufficient*
sufrir *to suffer*
sumamente *extremely*
supervisora *supervisor*
sureño *southern*
suspendidas *suspended*
sustancia *subsistence*
tabacalera *related to tobacco*
tácticas *tactics*
taína *Taino, indigenous
population of the Caribbean*
tal *such*
talento *talent*
también *also*
tan *so (much)*
tanto *so much*

tarde *late*

tarea *task, homework*

taxi *taxicab*

te *you*

techo *roof*

telecomunicaciones *telecommunications*

teléfono *telephone*

televisión *television*

temblar *to tremble*

temprano *early*

tener *to have*

teniente *lieutenant*

tenso *tense*

tercer *third*

terminar *to finish*

terrible *terrible*

terrorismo *terrorism*

testigo *witness*

tía *aunt*

tiempo *time*

tienda *store*

tiene suerte *is lucky*

tierra *land*

tinta *ink*

típica *typical*

tipo *type*

tirano *tyrant*

tirar *to shoot*

título *title*

tiza *chalk*

tocar *to touch, play an instrument*

todavía *still*

todo *all*

tomar *to take*

tono *tone*

tonterías *foolishness*

toque *touch*

total *total*

totalmente *totally*

trabajar *to work*

traer *to bring*

traidor *traitor*

tranquilo *calm, tranquil*

transformar *to transform*

transportar *to transform*

trapiches *sugar mills*

tratamiento *treatment*

tratar *to try*

trenes *trains*

tres *three*

trescientos *three hundred*

tribus *tribes*

triste *sad*

tristeza *sadness*

triunfante *triumphant*

triunfar *to triumph*

tropas *troops*

tu *you*

tumba *tomb*
turismo *tourism*
turista *tourist*
último *last*
un, uno *an, a*
único *only*
unidos *united*
uniforme *uniform*
unión *union*
unir *to unite*
universidad *university*
urgente *urgent*
usar *to use*
usted *you (formal)*
vacaciones *vacations*
vacilar *to vacillate*
valiente *brave*
valor *courage*
varios *various*
veces *times*
vecinos *neighbors*
vegetación *vegetation*
vegetarianos *vegetarians*
velas *candles*
velocidad *speed*
venda *bandage*
vender *to sell*
venir *to come*

ventana *window*
ver *to see*
verdad *truth*
verdadero *true*
vereda *path, lane*
vestirse *to get dressed*
veterano *veteran*
vez *time*
viajar *to travel*
viaje *trip*
victoria *victory*
vida *life*
viejo *old*
vigilar *to watch*
violencia *violence*
visitar *to visit*
visto *seen*
volar *to fly*
volver *to return*
voz *voice*
vuelo *flight*
vuelta *flip, trip, turn*
y *and*
ya *already*
zafra *sugarcane harvest*
zapatos *shoes*
zona *zone*

ACKNOWLEDGEMENTS CASA

I would like to express my gratitude to the many people who helped throughout the writing of this book.

This book would not exist without José Santiago and Kizzy Macias who shared their personal stories and experiences about life in Cuba. Thank you for your time and patience. It was invaluable to me during this process. Your honesty and openness inspired me to look deeply at my own views and dig deeper into the story of Cuba.

Thanks to the many Cubans who embraced me during my trip your beautiful country, too many to name, but Cubans of all political stripes welcomed me as a friend and explained the challenges and wonders of life in their country. In particular, father and son Fernando and Francisco Pérez, whose very lives illustrate the painful divide in Cuban families, allowed me access to their homes, feelings and the details of their rich and fascinating lives.

I am grateful to my editors at TPRS Books. Your talent, investment and expertise have made this book a stronger tool for language acquisition with a more balanced view of the complexities of Cuban realities.

A very special thank you to my wife, Yvette. Your incredible mothering allowed me time and space to write and your confidence in my abilities propelled me to engage this challenge in the first place. I love you.

THE AUTHOR

Living in Costa Rica for a year, the Dominican Republic for a semester and long-term trips to Nicaragua, Ecuador, Cuba, El Salvador, Peru, Haiti, Mexico, Panama, and Guatemala showed Chris Mercer sides of the world he would never forget.

His fascinating, sometimes harrowing, adventures have become the basis for three documentary films and two books: All that Glitters, a look inside the artisanal gold mines of Nambija and Zaruma, Ecuador; When Pigeons Fly, interviews with street kids in the Dominican Republic and a profile of a home that takes a few of them in; From Goochland to Havana, a "video conversation" between Spanish I students in rural Virginia and college level art students in Havana, Cuba. His Spanish novel, Todo lo que brilla, follows the adventures to two Ecuadoran farmers turned gold miners and his book, Casa Dividida, explores the history of the Cuban Revolution through the eyes and experiences of two very different people.

Travel and filmmaking have formed the basis of his dynamic, rich teaching style that includes music, dance, film, and the interactive TPRS language instruction method. He is available to give presentations about his films, books, Latino culture.

Chris is excited about sharing his passion for Latin America with the ultimate goal of creating a new generation of bilingual, global citizens who take on the challenges of the 21st Century with a strong foundation of cultural understanding, confidence and compassion.

He lives with his wife and two children and currently teaches at Trinity Episcopal School in his hometown of Richmond, Virginia.

DEDICATION:

For José and Kizzy, your stories have given me the courage to grow and to all Cubans everywhere.

Many more readers coming soon,
please visit our website at *tprsbooks.com*.